MAIS QU'EST-CE QUE TU FAIS LÀ, TOUT SEUL ?

Pierre Szalowski

MAIS QU'EST-CE QUE TU FAIS LÀ, TOUT SEUL?

roman

Hurtubise

Catalogage avant publication de Bibliothèque et Archives nationales du Québec et Bibliothèque et Archives Canada

Szalowski, Pierre

Mais qu'est-ce que tu fais là, tout seul?

ISBN 978-2-89647-996-2

I. Titre.

PS8637.Z34M34 2012   c843'.6   C2012-941367-4
PS9637.Z34M34 2012

Les Éditions Hurtubise bénéficient du soutien financier des institutions suivantes pour leurs activités d'édition:

- Conseil des Arts du Canada;
- Gouvernement du Canada par l'entremise du Fonds du livre du Canada (FLC);
- Société de développement des entreprises culturelles du Québec (SODEC);
- Gouvernement du Québec par l'entremise du programme de crédit d'impôt pour l'édition de livres.

Conception graphique: René St-Amand
Illustration de la couverture: AlexRoz (shutterstock.com)
Maquette intérieure et mise en pages: Folio infographie

Copyright © 2012 Éditions Hurtubise inc.

ISBN 978-2-89647-996-2 (version imprimée)
ISBN 978-2-89647-997-9 (version numérique PDF)
ISBN 978-2-89723-031-9 (version numérique ePub)

Dépôt légal: 4e trimestre 2012
Bibliothèque et Archives nationales du Québec
Bibliothèque et Archives Canada

Diffusion-distribution au Canada:
Distribution HMH
1815, avenue De Lorimier
Montréal (Québec) H2K 3W6
www.distributionhmh.com

Diffusion-distribution en Europe:
Librairie du Québec/DNM
30, rue Gay-Lussac
75005 Paris FRANCE
www.librairieduquebec.fr

Imprimé au Canada
www.editionshurtubise.com

À ma mère,
perdue durant l'écriture de ce roman.

À mon père,
perdu bien avant que je n'imagine écrire.

PREMIÈRE PARTIE

*L'Histoire, c'est la passion des fils
qui voudraient comprendre les pères.*

Pier Paolo PASOLINI

I'M BACK!

Avant de descendre du taxi, le client a signé au verso de cinq reçus qu'il a vite rendus au chauffeur. Puis il a serré la main de cet Haïtien jovial qui ne cessait de le fixer pour s'assurer qu'il ne rêvait pas.

— J'ai déjà eu David Copperfield. Mais là, wow, bingo !

Pour mettre un terme à cet interminable élan d'amitié, l'homme a ouvert la portière d'un coup d'épaule, faisant entrer dans l'habitacle un vent glacial et une volée de flocons. Il est sorti du taxi sans saluer le chauffeur qui lui faisait un dernier signe de la main. Tout en essuyant de son gant cette neige qui s'incrustait dans le cachemire noir de son manteau, il a regardé, en maugréant, le trottoir blanc. Des passants, le col de manteau fermé jusqu'au menton, les bras chargés de sacs, longeaient les vitrines des magasins qui éclairaient la nuit de leurs guirlandes multicolores.

Un jeune enfant s'est arrêté et a écarquillé les yeux comme eux seuls savent le faire à l'instant où ils sont convaincus d'avoir vu le père Noël, en personne, sortir d'un taxi et entrer dans un hôtel. Sans demander, il a lâché la main de son père pour hurler.

— Go, *Habs*, go!

Feignant de ne rien avoir entendu, l'homme a gravi quatre à quatre les marches menant à la porte d'entrée du prestigieux établissement.

— Pis, j'espère que tu vas compter beaucoup de buts!

En cette veille de Noël, Martin Gagnon, joueur de centre de la Ligue nationale de hockey, venait d'être échangé au Canadien de Montréal, en retour de considérations futures.

La plupart des journalistes sportifs montréalais s'étaient montrés sceptiques à l'annonce de l'arrivée de ce joueur, ou plutôt de son retour. Dans le journal *La Presse*, un journaliste, en guise de cadeau de Noël à ses lecteurs partisans, avait même osé lever le voile sur un secret que tout le monde savait de Polichinelle : « *Si les partisans du Canadien peuvent se montrer à juste titre déçus de cette transaction qui fait revenir dans la ville ce joueur qui y a semé le trouble, on peut cependant imaginer que les bouchons de champagne ont sauté chez les*

effeuilleuses du Sex Paradisio, haut lieu de ses fras-
ques, ainsi que dans les agences d'escortes de la ville,
qui devraient durant les quatre prochains mois voir
leur chiffre d'affaires quadrupler grâce à la seule
présence de ce joueur qui s'annonçait unique, mais
qui n'a su que dilapider son talent sur les pistes au
lieu de l'exprimer sur la glace. »

Le grand hall de l'hôtel Saint-Régis était désert. Le sapin qui trônait entre deux immenses colonnes ne clignotait que pour lui-même. Une brusque bourrasque de vent froid, parsemée de quelques flocons de neige, a prévenu les rares employés de l'arrivée du prestigieux client. Ils se sont immédiatement arrêtés de ne rien faire pour se redresser en se tournant vers l'entrée. Le bruit des pas de Martin Gagnon a résonné sur le marbre immaculé. Du haut de ses six pieds et trois pouces, il a marché jusqu'au directeur de l'hôtel qui, du bas de ses cinq pieds et quatre pouces, s'est plié en deux.

— En mon nom, et en celui de tout le personnel, bienvenue au Saint-Régis, monsieur Gagnon.

Le grand champion n'a pas eu le temps d'esquisser la moindre formule de remerciement. Comme tout le monde, il s'est retourné lorsqu'une nouvelle bourrasque a refroidi, plus encore, l'ambiance glaciale qui régnait dans l'hôtel désœuvré. Un jeune groom, tout de bleu vêtu, casquette un peu trop large, les cheveux soigneusement peignés, ce qui tranchait avec son acné totalement désordonnée, est apparu en poussant un chariot doré sur lequel étaient posés trois grosses poches de hockey et douze bâtons. Quand il a senti les regards posés sur lui, il a rougi jusqu'à en faire disparaître son acné.

Le directeur, qui avait dû retarder son départ dans les Laurentides pour réveillonner en famille afin d'accueillir en personne l'illustre client, a regardé sa montre, puis il a invité Martin Gagnon à le rejoindre au *front desk*.

— La suite junior 919 vous attend. Le président du Canadien en personne nous a appelés. Le club prendra en charge les frais de subsistance, d'éventuels soins du corps dont vous pourriez avoir besoin pour être en forme, la limousine de l'hôtel jusqu'à vingt-deux heures, mais aucun autre supplément… Vous voyez ce que je veux dire, monsieur Gagnon?

L'American Express Gold posée sur le comptoir doré a semblé rassurer le directeur. Précieux, il l'a discrètement fait glisser dans le sabot avant d'y poser le formulaire pour y graver l'empreinte de la carte. Il a saisi un stylo dont il a mis la pointe dans la case «Montant» avant de prendre un sourire contrit, manquant cruellement de naturel.

— Désolé pour ce petit désagrément. Je ne doute pas que cette paperasserie sera inutile, mais bon, dans le doute, que diriez-vous que nous mettions cinq mille, par exemple?

L'homme au cachemire s'est contenté de ciller, ce qui a redonné vie au directeur. Tandis qu'il présentait, tout sourire, le formulaire à signer, avec plein de zéro dessus, ses yeux ont failli sortir de leurs orbites en découvrant la grosse bague qui cerclait l'annulaire de son client.

— Doux Jésus, dites-moi que je rêve?

Enfant, comme tous ceux du Québec, en donnant ses premiers coups de patin sur les lacs gelés et les patinoires extérieures, il avait vécu ce rêve patrimonial de porter un jour à son doigt la bague sacrée de la coupe Stanley. L'énorme chevalière, remise à chaque joueur ayant sué et saigné pour que le grand club écrive une ligne de plus dans le livre de la légende du hockey, était d'un goût douteux – voire de très mauvais goût. Au sommet du gigantesque bijou en or, des brillants traçaient un C et un H, emblème du Canadien de Montréal. Sur trois des rebords, dans le précieux métal, était gravé *Stanley Cup Champions*. À défaut de le vivre, le directeur de l'hôtel s'est demandé un instant si le rêve, il ne pourrait pas au moins le toucher.

— Pardonnez mon audace, monsieur Gagnon, mais m'autoriseriez-vous à poser mon doigt sur votre bague, juste pour la caresser? Ainsi, lorsque je verrai mes petits-enfants ce soir, et je ne compte pas me le laver avant, ils pourront en le touchant se dire qu'eux aussi, ils ont presque touché une bague de la coupe Stanley!

— Non!

Le directeur a fait mine de ne pas avoir posé la question, ce qui lui a évité de feindre ne pas avoir entendu le refus. Un peu refroidi, mais professionnel, il s'est approché du compteur naturel pour chuchoter à son oreille.

— Comptez-vous… euh… recevoir de la visite ce soir? Juste histoire de prévenir le personnel de nuit… C'est une soirée particulière. Nos employés les plus anciens ont la priorité… Ils ont tous une famille… C'est Noël… Pour être plus clair, nous n'avons pas sur le plancher nos meilleurs éléments. Seul Alexandre, notre concierge, a de la bouteille, mais la femme de ménage n'est là que depuis un an seulement et notre groom sort à peine de l'école. Vous m'excuserez d'avoir réduit l'équipe à son minimum, mais puisque vous êtes notre seul client ce soir, je pouvais difficilement faire autrement…

Donc si vous pouviez éviter de… Enfin… si vous pouviez rester calme… histoire de les ménager.

Le client n'a pas bronché, ce qui n'a pas rassuré le directeur.

— Je peux compter sur vous, hein? Vous promettez?

Sept ans plus tôt, à sa cinquième saison avec le Canadien, alors que l'équipe venait d'enchaîner quatre défaites successives, il avait établi un record dans cet établissement en y vidant trois jéroboams de Dom Pérignon, deux litres de Chivas Regal Royal Salute, en plus de briser un lit king, de boucher les toilettes, ravager la moquette avec des mégots de cigarettes et très certainement des joints de pot, pour un montant total de dix mille cinq cent vingt-neuf dollars et quarante-cinq sous, avec taxes, service non compris. Le grand club, en toute discrétion, avait réglé la note de son centre numéro un, trente-six buts, trente-deux passes en soixante-neuf rencontres. Mais pour cette frasque de trop, Martin Gagnon avait été échangé à Winnipeg contre trois jeunes espoirs, dont deux catholiques pratiquants habitant encore chez leurs parents.

Le directeur s'est rendu au petit salon, sur le côté de la réception, meublé d'un divan et de deux fauteuils style Empire, recouverts d'un tissu à rayures beige et jaune. Il a attrapé son manteau soigneusement plié sur l'un des accoudoirs pour en sortir de la poche une tuque de laine, tricotée main, aux couleurs du Canadien de Montréal. Avec le savoir-vivre exquis de ces hôtes qui coûtent si cher, il a ensuite tenu à accompagner Martin Gagnon jusqu'aux portes de l'ascenseur.

— Je vous souhaite une petite soirée bien tranquille et surtout un joyeux Noël, monsieur Gagnon! Et si vous avez besoin de quoi que ce soit, vous demandez Alexandre, notre concierge. C'est mon homme de confiance.

Alexandre, la cinquantaine rondouillarde et avachie, de rares cheveux roux plaqués vers l'arrière dans une mer de gel, a salué de la main son visiteur du soir.

— Toujours là pour vous servir, monsieur Gagnon!

Sans rendre le salut, ni remercier, le client est entré dans l'ascenseur dont les portes étaient bloquées par la main gantée de blanc du jeune groom. Celui-ci a salué, en s'inclinant bien bas, l'ancienne vedette montante avant de presser délicatement sur le neuf. Dès que les portes se sont refermées, Martin Gagnon a senti le regard du jeune garçon posé sur lui à travers le reflet du chrome. Il a levé les yeux pour voir s'illuminer les numéros à chaque étage franchi, puis les a fermés. Cette cabine, il s'en souvenait très bien, trop bien, même. Ils y étaient montés à six…

Ce soir-là, sous la douche du vestiaire du Forum, la défaite à peine consommée, il avait avisé ses compagnons de trio, un Tchèque et un Américain, aussi mauvais que lui ce soir-là, qu'il ne comptait pas en rester là et qu'à défaut d'arroser la victoire, il boirait pour l'oublier en bonne compagnie, histoire de resserrer l'esprit d'équipe.

— Pis vous inquiétez pas, les *boys*, j'amène tout le matériel.

Pour « lever » trois jeunes courtisanes, déguisées en partisanes, il n'avait eu qu'à déverrouiller la porte arrière de sa grosse auto pour qu'elles y entrent et se mettent à glousser sur la banquette de cuir.

Au petit matin de cette folle soirée, fête bue, chambre saccagée, convives partis, lorsque l'ascenseur avait ouvert ses portes au rez-de-chaussée sur Martin Gagnon et sa conquête de la nuit, qu'il avait promis de raccompagner avant d'aller à l'entraînement, c'était le président du Canadien, en personne, qui l'attendait dans le lobby.

— Bon matin, président! Hips! Je vous présente, euh… comment tu t'appelles déjà, toi? Vous vous en crissez comment elle s'appelle, président? Bon, rentre chez toi, voilà vingt dollars, je te rappelle… J'ai pas ton numéro? T'inquiète, je vais le trouver… hips! mais là ça chauffe un peu pour moi… Non, non, m'embrasse pas, là… file!… Bon… président, il est où mon sac? Pis je vois pas mes bâtons, non plus… Comment je vais jouer, moi? C'est vrai ça, comment je vais jouer, moi? Hips!

Quatre heures plus tard, le préposé à l'équipement du Canadien de Montréal, après lui avoir remis un aller simple en classe économique, avait déposé le joueur de centre à l'aéroport de Dorval, direction Winnipeg, là où les nuits sont si longues.

— Un petit dernier pour la route? Allez, le verre de l'amitié?… Euh, bon, ben, celui des adieux, alors?… T'as pas envie de jaser un peu? Allez, je t'invite… Tu veux pas? Ben, décrisse… d'façon, j't'ai jamais aimé, toi!

❧

Martin Gagnon a ouvert les yeux pour découvrir le groom qui l'attendait sur le palier en regardant en l'air. Il a compris que le jeune homme patientait depuis un moment. Mais les comités d'accueil aux portes des ascenseurs, il y était devenu allergique.

— Ben, pousse-toi, si tu veux que je sorte!

— Excusez-moi. Je ne voulais pas vous déranger, monsieur Gagnon.

— Pis arrête de m'appeler "monsieur Gagnon", appelle-moi Lagagne, comme tout le monde!

Visiblement contrarié par la requête de ce client qui contredisait la première des règles enseignées à l'École supérieure d'hôtellerie du Québec, laquelle défendait une quelconque familiarité avec un client, le groom s'est contenté de baisser la tête tout en poussant son chariot sur la moquette rouge, direction la 919. Arrivé à destination, il a sorti de sa poche un pompon vert bouteille au bout duquel était accrochée une grosse clef dorée. Il l'a délicatement glissée dans la serrure, parfaitement huilée, qui sans bruit a laissé le battant s'ouvrir. Le jeune homme a invité le futur occupant à entrer le premier dans la suite. Celui-ci a fait quelques pas dans le couloir de l'entrée, bordé de portes coulissantes entrouvertes sur des étagères vides et des porte-cintres. Puis il a poussé la porte qui donnait sur une salle de bain pour y passer la tête, rapidement.

— C'est la toilette de commodité, monsieur, la baignoire est petite mais il y en a une beaucoup plus grande et confortable dans la salle de bain de votre chambre.

— Hey, pour qui me prends ? Tu crois que c'est la première fois de ma vie que je couche dans une suite ?

Le groom a de nouveau fait disparaître son acné en rougissant jusqu'au carmin foncé. Martin Gagnon a juste fait quelques pas, avant de s'arrêter, visiblement contrarié par ce qu'il entendait.

— Arrête-moi ça ! J'haïs ça, cette musique.

Le jeune homme a couru à la chaîne hifi. D'un clic, il a coupé net le *Requiem* de Mozart interprété par l'Orchestre philarmonique de Berlin dirigé par Herbert von Karajan au meilleur de sa forme.

— Vous voulez que je mette un autre poste ?

— Non, c'est bon, ça ira.

Le groom est retourné à son chariot alors que Martin Gagnon est entré dans la suite de mille pieds carrés. Habitué à ces nids coquets, il a regardé sans émotion le salon. Les tableaux aux murs représentaient des scènes de chasse mais des courtisanes bien chastes. Un divan et deux fauteuils en tissu clair, devant la télévision, encadraient une table basse laquée, noire. Martin Gagnon s'est ensuite dirigé vers la chambre dans laquelle il n'a mis que son nez. Mais pas longtemps.

— Tabarnak ! Ça pue le salon funéraire !

Le jeune groom en a fait tomber les douze bâtons qu'il tentait de caser dans les placards du couloir.

Il a couru à la chambre pour rapidement enlever la bonne dizaine d'orchidées essaimées sur le lit qu'il s'est empressé de jeter à l'extérieur de la suite. Quand il a réapparu, il n'a pas osé affronter le regard qui le défiait.

— Dis-moi, la musique qui tue et les fleurs d'enterrement, c'est le club qu'a demandé ça ?

— C'est une attention que nous réservons à nos meilleurs clients. Il paraît que ça relaxe après un long voyage…

Le grand joueur a haussé les épaules alors que le jeune groom est retourné à ses sacs, ses manteaux, ses cintres et ses bâtons. Martin Gagnon a remarqué sur le côté du meuble de la télé un petit sapin garni d'une minuscule guirlande électrique. Huit ampoules, trois bleues, trois rouges et deux blanches clignotaient, illuminant, sur la cime, les lettres CH en paillettes dorées.

— Y sont-tu quétaines…

Il s'est affalé sur le divan et a machinalement posé les yeux sur la table basse. Il s'est penché en avant pour passer sa main dessus puis s'est baissé pour observer à contrejour les rayures sur la laque noire. Même s'il était évident que la table avait été astiquée il y a peu, il y restait de vieilles cicatrices. Il s'est redressé pour s'enfoncer dans le dossier et il a levé les yeux. Et, là, ça lui est revenu.

— Non, non, les filles, gardez vos talons, c'est plus *hot* quand on vous voit danser d'en bas!

Martin Gagnon s'est levé pour regarder la table de haut. «Ils n'ont quand même pas poussé le vice jusqu'à me donner la même chambre? À moins qu'ils aient fait exprès d'y mettre la table?» Il s'est rassis, cette fois dans un fauteuil, et brusquement, il a éclaté de rire. Un rire gras. Épais. Un rire nerveux qui s'est transformé en rire forcé. Puis soudain, remarquant le jeune groom devant lui, il n'a plus ri.

— Bon, ben, qu'est-ce que t'as à me regarder de même?

— J'ai fini de ranger vos affaires dans la chambre.

— C'est bien, ça.

Après avoir hésité, le jeune homme a timidement tendu un bloc-notes et un stylo à son client.

— Excusez-moi… Normalement, je n'ai pas le droit, mais c'est pour mon père…

Martin Gagnon a pris l'air blasé de ces vedettes qui ont toujours autre chose à faire dans la vie que de s'intéresser à ceux qui les admirent. Mais devant la gentillesse, enfin surtout la politesse du jeune homme, et puisqu'il n'avait vraiment rien à faire d'autre, il a saisi le stylo et le carnet.

— Bon, qu'on en finisse. Il s'appelle comment, ton père?

— Donald.

Martin Gagnon a levé les yeux vers le groom, pensant qu'il plaisantait. D'un coup d'œil, il a compris que ça n'était pas le cas. Mais il n'a pu se retenir de ricaner.

— Je l'avais jamais eu, lui, comme client… Et toi, t'es Riri, Fifi ou Loulou?

— Ça faisait aussi rire mes amis qui m'appelaient comme ça à l'école, monsieur…

— Ils étaient pas fins, tes amis.

— Non, monsieur. Surtout que Riri, Fifi et Loulou, ce sont les cousins. En fait Donald, c'est pas le père, c'est l'oncle.

— C'est pas le père?

— Non, enfin je crois…

— Ils ont bien un père, tout le monde a un père. C'est qui le père?

— Je vais me renseigner si vous le souhaitez.

— Oui, c'est ça. Renseigne-toi et reviens-moi. J'aimerais bien savoir c'est qui le vrai père des petits canards.

Martin Gagnon a rapidement écrit: «À mon ami Donald, amitiés sportives.» Puis il a signé sans oublier d'inscrire «69», le numéro qui lui avait porté bonheur durant toute sa carrière. Il a tourné la page du carnet et a relevé la tête.

— Et pour toi, tu veux que je t'écrive quoi?

— Rien, merci.

— Je suis sûr que t'es fâché après moi parce que j'ai ri de ton père.

— Non, monsieur, je ne suis absolument pas fâché. Je vous assure.

— Tu veux que je te signe un bâton, c'est ça ?

— Non, monsieur, je vous assure.

— Allez, sois pas gêné, un de plus, un de moins… Pis faut que je reprenne l'entraînement du stylo parce qu'à Los Angeles, ils s'en crissaient pas mal du hockey. Les seuls autographes que je donnais, c'était pour signer chaque mois le chèque de pension alimentaire de mon ex. Mais tu connais Montréal, ils sont pas capables de penser à autre chose que le hockey. C'est vrai, ça… Quelle bande d'épais. Alors ? J'écris quoi ?

— Non, merci, vraiment, c'est très gentil…

Les grands champions sont des hommes qui ne savent conjuguer la vie qu'à la première personne, ne supportant jamais la résistance d'une deuxième personne à leurs souhaits. Martin Gagnon a forcé le sourire, avenant.

— Tu veux la toucher, c'est ça ?

Le groom a viré au rouge vif. Le client, lui, a blêmi. Si champion est un mot masculin qui ne s'accorde qu'au plus-que-parfait, il se nourrit exclusivement du genre féminin, pluriel si possible.

— Hey, qu'est-ce que t'as cru ?

Martin Gagnon a tendu la main, tels les rois, jadis, pour exposer le bijou des bijoux aux yeux du jeune homme qui n'osait toujours pas le regarder.

— Hey, je parlais de toucher ma bague de la coupe Stanley!

Le groom a respiré de nouveau et il en a profité pour faire son *coming out*.

— C'est juste que j'aime pas le hockey, monsieur Gagnon.

— Avec un père comme t'as?

— Oui, justement…

— Dommage, j'aurais signé Mickey.

Le groom, après un sourire poli, a vite rangé dans sa poche le petit carnet et le stylo que venait de lui rendre Martin Gagnon.

— Riri?

— Oui, monsieur Gagnon…

— S'cuse moi, j'suis platte quand je file pas bien… Pis je deviens tannant. Dis-moi, c'est quoi ton vrai nom?

— Charles-David Hébert.

— Charles-David?

— Charles pour le père de mon père et David pour le père de ma mère…

Le joueur étoile a plongé dans ses pensées afin de redessiner son arbre généalogique dans un tableau mental.

— Tabarnouche! Je me serais appelé Henri-Ronald ou Ronald-Henri… T'imagines à quoi j'ai échappé?

— Ça sonne bien, Ronald-Henri Gagnon…

— Ça sonne fif!

Martin Gagnon s'en est immédiatement voulu. Il a inconsciemment posé la main sur sa bague puis il a regardé à travers la fenêtre les flocons sur fond de nuit noire. Charles-David a attendu un moment, puis il a toussoté, délicatement.

— Avez-vous encore besoin de moi, monsieur Gagnon?

— Comment je t'ai demandé de m'appeler?

— Monsieur… Lagagne.

— Qu'est-ce que j'ai dit?

— Lagagne…

Le jeune homme a marché silencieusement vers la porte.

— Ben où tu vas? Attends-moi!

Martin Gagnon a bondi de son fauteuil pour le rejoindre dans l'entrée. Il a plongé la main dans sa poche pour sortir deux billets de vingt dollars d'une grosse liasse qui en contenait une centaine.

— Joyeux Noël, mon garçon!

— C'est trop, vous m'avez déjà offert l'autographe pour mon père.

—Les billets, c'est pour toi tout seul, pas pour ton père. Il a déjà eu son cadeau, lui! Pis c'est poche de travailler le jour de Noël, non?

—Ça paye mieux, mais ça fait drôle quand même. C'est la première fois que je ne vais pas passer le réveillon avec ma famille…

Martin Gagnon s'est mordu la lèvre, très fort. Voyant qu'il n'y avait plus rien à dire, le groom est sorti en prenant soin de refermer la porte sans bruit. Entre deux branches du petit sapin, le client a aperçu une enveloppe aux couleurs du Canadien de Montréal. Il l'a saisie pour vite l'ouvrir.

Bienvenue à Montréal, Lagagne!

Désolé pour l'accueil, mais c'est le réveillon. Très franchement, je ne m'attendais pas du tout à voir un gars arriver. Et toi, encore moins… Le président pense que ça nous prend un gros joueur de centre avec de l'expérience. Dit comme ça, t'es le joueur idéal. Mais faut voir ce qui vient avec… L'équipe est dans une bonne séquence, va falloir que tu gagnes ta place, mais t'es capable. Je compte sur toi pour pas mettre la marde. Laissons passer Noël, je t'attends à dix heures lundi à la pratique. Joyeuses Fêtes!

PS: J'espère que t'as pas oublié de demander au père Noël un élixir (sans alcool) pour compter des buts.

Dans la grande salle de bain, l'immense et rutilant jacuzzi, véritable appel au bain communautaire, idéalement en double-mixte, n'attendait que son heure. Martin Gagnon a déchiré en petits morceaux la feuille, puis l'enveloppe, et les a jetées dans les toilettes. Rageusement, il a tiré la chasse. Dans un tourbillon d'une eau légèrement bleutée par le déodorant fixé au bord de la cuve, le mot de bienvenue de l'entraîneur en chef, après quatre tours de vasque, a disparu au son d'un dernier gloup.

— Va chier avec ton père Noël!

Les grands champions ne sont pas ceux capables de faire ce que d'autres ne peuvent pas, ce sont simplement ceux qui en sont convaincus. Une affaire de mental. Tout n'est que mental quand les forts se frottent à plus fort, les durs aux rocs. C'est de plus en plus dur. Il faut être toujours le plus fort. Surtout que rendu tout en haut, ceux qui t'admirent d'en bas veulent te faire trébucher pour prendre ta place. Mais on ne veut pas lâcher. De là, si haut perché, on emmerde le monde, simplement parce qu'il est à nos pieds. Pour y rester, il faut avoir la tête dure. Un mental à toute épreuve. On en revient toujours au mental. La dureté du mental, comme qui dirait.

— Va falloir que tu gagnes ta place!

Martin Gagnon, la rage au cœur, s'est fixé longuement dans le reflet du miroir. Tout était là, dans le regard. La vitrine du mental. Il a enlevé sa chemise et son tee-shirt pour se retrouver torse nu et s'est tourné de profil un instant dans le miroir. Il a posé la main sur son ventre qui désormais semblait vouloir voler la vedette à ses pectoraux. Il l'a rentré un instant, l'a relâché, pour le rentrer une autre fois avant d'abandonner. Il s'est placé de face pour admirer le bel homme qu'il était encore. Il a fait sortir ses épaules qui ont failli déborder du miroir. Il a caressé sa petite cicatrice au coin de l'arcade sourcilière qui lui donnait cet air des hommes qui en ont vu, des durs, des vrais. Pourtant, elle n'était le fruit d'aucun combat, d'aucun coup, juste une armoire dont la porte avait été laissée ouverte dans un hôtel de Buffalo. Le salaire des soûlauds qui vont pisser sans prendre soin d'allumer la lampe. Mais il est des tranches de nuit que l'on ne révèle jamais à la lumière. L'être extérieur, surtout quand il est sombre à l'intérieur, se doit de briller de mille feux au grand jour sous peine de ternir le personnage qu'il incarne. Alors, on ment aux autres. Mais surtout, à soi-même.

— Un élixir sans alcool pour compter des buts?

Martin Gagnon s'est observé une dernière fois dans le miroir avant de prendre son plus mauvais sourire.

— L'équipe est dans une bonne séquence!

L'homme s'est approché encore plus près du miroir, intrigué par ce qu'il y voyait. Il a sorti du tiroir une pince à épiler et a arraché sans sourciller une bonne botte de poils de son nez. Il en a fait de même avec ceux qui dépassaient des oreilles. Il a passé la main dans sa tignasse brune pour y découvrir quelques cheveux blancs. Il n'y en avait pas beaucoup, mais tout de même de plus en plus. Il a reculé et a tendu ses deux bras jusqu'à ce que le majeur de sa main droite effleure le miroir, alors que celui de l'autre main restait à environ deux centimètres de la surface, bien que ses épaules soient symétriquement placées. Satisfait par ce qui était à l'évidence une vérification rituelle, il s'est admiré comme seuls savent le faire ceux qui s'aiment plus que tout au monde.

— Je compte sur toi pour pas mettre la marde!

Martin Gagnon est sorti de la salle de bain sans éteindre la lumière. Il a saisi un tee-shirt et une chemise propre des piles soigneusement rangées par Charles-David dans le placard de la chambre. Dans le salon, il a donné un grand coup de pied au pauvre petit sapin qui, en s'écrasant sur la moquette, a cessé de clignoter. L'homme en colère a attrapé au vol son manteau en cachemire et s'est dirigé vers la porte. Il l'a ouverte d'un coup pour la claquer du plus fort qu'il a pu.

— *I'm back!*

IL Y A TOUJOURS, QUELQUE PART, QUELQU'UN QUI VOUS AIME

Martin Gagnon a pressé le bouton pour une énième fois et il a plaqué son oreille contre la paroi pour n'entendre qu'un grand silence. Il a tenté d'insérer son doigt entre les deux battants de fer et, à la force de son index, musclé, il est parvenu à légèrement les écarter. Dans la fine fente, il a placé son œil pour voir si la cabine se trouvait derrière.

— Il est où ce crisse d'ascenseur?

Le grand champion s'est alors dirigé vers l'aile droite du bâtiment pour revenir au centre et piquer vers la porte de service. Il a ensuite dévalé les escaliers en pestant contre l'hôtel, son directeur, son concierge, son manque d'activité nocturne, pour finalement arriver au rez-de-chaussée en furie. En ouvrant d'un violent coup d'épaule la porte donnant sur le lobby, il est tombé nez à nez sur le groom qui polissait avec un chiffon enduit de cire les portes dorées, et surtout bloquées, de l'ascenseur.

— Désolé, mons... Lagagne, vous êtes le seul client dans l'hôtel et je ne pouvais pas imaginer que vous alliez redescendre si vite.

Martin Gagnon a ravalé sa colère, enfin une bonne moitié d'un coup. Il a réussi à sourire au jeune homme et lui a donné une tape amicale sur l'épaule. Celui-ci s'est relevé et il a chuchoté.

— Pour Donald, c'est bien ce que je vous avais dit : c'est l'oncle !

Martin Gagnon a cherché quelques secondes de quoi pouvait bien vouloir lui parler le jeune homme.

— Et ?

— Ben, si c'est l'oncle qu'est le père de Riri, Fifi et Loulou, ça ne peut pas être Donald... le père !

— C'est sûr, il peut pas être partout, Donald. Mais les petits canards, ils peuvent pas avoir deux pères ?

— Normalement, non.

Le grand joueur, encore essoufflé de sa folle descente dans l'escalier, a remercié Charles-David tout rouge d'avoir su, si bien et si rapidement, satisfaire le besoin de son client. À la réception, il a attendu car dans le petit bureau, derrière le comptoir, le concierge, au téléphone, se débattait dans une conversation particulièrement animée.

— Qu'est-ce que tu veux que je te dise ? Moi, demain matin, j'ai un bus qui me livre quarante-huit jeunes mariés japonais. Dans le catalogue, y a une belle grande photo avec les lits recouverts d'orchidées. Les vingt-quatre couples ont ajouté l'extra à leur forfait. Alors, je comprends que ça soit Noël, mais pour eux, c'est leur nuit de noce. Ils vont déjà nous faire un vacarme d'enfer au huitième, alors, tu te débrouilles pour qu'ils ne viennent pas, en plus, hurler à la réception… Je comprends ça que t'as une famille et des enfants, mais on t'a commandé des orchi… Bon, je te rappelle, j'ai un client !

Le concierge a rajusté son costume noir puis a replaqué ses rares cheveux en arrière. Il est sorti du petit bureau pour se placer, contrit, devant Martin Gagnon.

— Je suis désolé de vous avoir fait attendre. Nous avons demain une visite très particulière à laquelle nous souhaitons offrir le meilleur des services.

Martin Gagnon s'est contenté de pousser sa clef sur le comptoir. Le concierge l'a délicatement saisie et l'a accrochée au grand tableau, derrière lui, désormais plein de toutes les clefs des chambres de l'hôtel. Il s'est penché vers son client en sueur en se fendant d'un sportif sourire de circonstance.

— Je vois qu'on a déjà repris l'entraînement, monsieur Gagnon.

— Je savais pas que le Canadien payait le supplément *jokes*.

— Effectivement, non. Désolé. Que pourrais-je faire pour vous accommoder ?

— Y a-t-il un message pour moi ?

— Non, personne, monsieur Gagnon.

— Alors un taxi, s'il vous plaît.

— Vous nous quittez ? Quelle bonne idée un soir de Noël ! C'est pour aller où, le taxi ?

— À la Maison des vins.

— La Maison des vins ?

— Oui, à la Maison des vins !

Le concierge a perdu sa bonhomie pour scruter son seul client avec méfiance. Puis il a imploré la pendule en espérant y trouver la lumière qui lui éviterait l'ire promise par le directeur, si clair dans son sermon avant de partir pour son chalet des Laurentides.

« Pour chaque litre qu'il boira, ça sera autant d'années de chômage pour toi ! »

Lorsque la grande aiguille de l'horloge a avancé dans un clic discret pour indiquer qu'il était désormais seize heures heures et vingt-neuf minutes, le concierge a feint de retrouver joie, amour et, surtout, sérénité.

— Je suis tellement navré pour vous, monsieur Gagnon, mais la Maison des vins ferme à seize heures

trente en cette veille de Noël. C'est à cause des syndicats. À ce rythme, ils finiront bien par faire fermer
les magasins à dix heures du matin! Je vous aurais
bien dépanné, mais notre bar est également fermé. Il
ne vous reste donc que votre minibar qui malheureusement est vide, conformément aux instructions du
président de votre club… Je suis tellement désolé…
Alors, ce taxi, vous en avez toujours besoin?

Martin Gagnon a caressé la cicatrice de son
arcade sourcilière et s'est frotté les mains avant de
faire claquer une à une les articulations de ses
doigts. Le concierge a dégluti. Pire que des années
de chômage, la perspective d'affronter à mains nues
un joueur de la Ligue nationale de hockey sans
arbitre pour les séparer a refroidi, d'un coup, son
corps de deux bons degrés Celsius. Le client a
approché son visage de celui du concierge qui,
maintenant, tremblait vraiment beaucoup.

— Je vous ai demandé un taxi pour aller visiter
un ami. Je voulais simplement lui apporter quelque
chose à boire. C'est pas parce que j'ai quitté la ville
depuis sept ans qu'il faut me prendre pour un épais.
Ces histoires de syndicats, vous savez où vous
pouvez vous les mettre?

— Je vois pas, là.

— Alors, je vais vous le dire, vu l'accueil que vous
me réservez ici, je compte même lui demander de

m'héberger. Et je peux vous dire que si un joueur du Canadien passe encore une nuit ici, ça ne sera pas grâce aux recommandations que je vais donner au président !

Pire que de se faire frapper par un joueur de la LNH sans arbitre pour vous séparer, serait d'avouer au directeur que l'on a fait perdre à l'hôtel un énorme client. Non, le plus grand, le plus prestigieux. Pensez donc : le Canadien de Montréal ! Vingt-trois coupes Stanley, une histoire bientôt centenaire, l'opium de toute une ville, d'une région, d'un peuple. Le concierge a avalé une énorme bouffée d'air en la savourant au cas où plus jamais il ne pourrait respirer, puis il a joué son joker dans cette partie de poker-menteur qu'il savait avoir déjà perdue.

— Quelle terrible méprise, monsieur Gagnon ! Et maintenant que j'y repense, la Maison des vins sur Président-Kennedy est bien ouverte jusqu'à dix-sept heures. Suis-je bête, le syndicat voulait, mais pas le patron ! Comment ai-je pu l'oublier ? Je mets tout de suite à votre disposition la limousine de l'hôtel. Le chauffeur n'étant pas là, je vais la conduire moi-même. Il ne faut pas que votre ami vous attende !

Pour tenter de contenir la colère qui montait en lui, Martin Gagnon a serré les poings. Le concierge en a profité pour essayer d'aspirer trois petites bouffées d'air, au cas où. Il n'a pas eu le temps de prendre la dernière que l'un des poings du client a frappé violemment le comptoir.

— Qu'est-ce que j'ai demandé, tabarnak?

Une minute plus tard, le concierge, courbé en deux, parce qu'en trois il ne pouvait pas, a ouvert la porte du taxi, abritant son client d'un parapluie, afin que nul flocon ne souille le beau cachemire.

— Misère, vous avez de la neige sur votre manche. Je vous l'essuie tout de suite! Et voilà, y a plus rien!

Il a contourné l'immense Chevrolet Caprice blanche pour indiquer au chauffeur les coordonnées de la livraison. Avec la même intensité que s'il s'agissait d'amener à l'hôpital Sainte-Justine une femme enceinte perdant ses eaux, le concierge a hurlé.

— Une urgence! Maison des vins, 505 Président-Kennedy, coin Aylmer! Vite!

Le taxi a démarré en trombe, au grand soulagement du concierge qui s'est passé la main sur le front avant de s'adosser au poteau d'un réverbère pour reprendre son souffle.

— J'en boirais bien un, moi aussi, de p'tit verre.

~

À l'arrière de la grosse américaine, Martin Gagnon a contemplé les trottoirs sur lesquels les passants ne marchaient plus avec leurs sacs pleins de cadeaux. Seuls quelques itinérants déambulaient, maintenant, les bras vides. Il s'est détourné vers les fenêtres pour apercevoir, çà et là, quelques sapins dont les guirlandes clignotaient. Sentant un regard posé sur lui, il est revenu à l'habitacle. Dans le miroir du rétroviseur, il a découvert les yeux bienveillants et rieurs du chauffeur.

— Je me doutais bien que vous alliez ressortir. Un homme comme vous, ça ne peut pas vivre enfermé, hein?

Plus que d'être enfermé, c'était rester seul qu'il ne pouvait endurer plus de quelques dizaines de minutes. La solitude, il ne l'avait jamais vraiment fréquentée. Dès ses débuts au hockey mineur, il avait toujours vécu en gang, en équipe, les enfants entassés dans la voiture des parents avant de s'envoler, tous ensemble sur la glace. Son talent précoce, son habileté naturelle à trouver si bien la lucarne après avoir semé les défenseurs lui avaient rapidement valu un statut particulier. Quand on compte six buts sur une récolte de sept, facile d'avoir vingt-deux amis, coachs compris. Le jeune Martin pouvait même choisir ceux par qui il acceptait d'être aimé. Ceux à qui il accordait le droit de gagner. La dope du quatrième trio. Quiconque s'opposait à lui, ou, plus simplement que cela, lui déplaisait, il demandait à l'entraîneur de le retrancher, de le couper, de le virer de l'équipe. Alors, quand ceux qui vous entourent ont peur de ne plus être aimés, ils aiment encore plus fort, ou le feignent à s'y méprendre. Mais peu importe. L'ivresse de l'homme d'exception est d'être celui dont on ne peut se passer. Celui que l'on s'arrache. L'élu.

— Et voilà, mon prince, nous sommes arrivés!

À la Maison des vins, Martin Gagnon n'a pas hésité une seconde avant de se jeter sur les grands crus classés, ceux qui, contrairement aux joueurs de hockey, vieillissent si bien. Il a choisi un 1974, millésime de son repêchage dans la LNH, une récolte exceptionnelle. Et il a opté pour du Cheval Blanc, surtout pour le cheval, en hommage à sa Ferrari, lâchement abandonnée dans son garage de Los Angeles. Elle allait lui manquer, mais il s'était résolu à la vendre. Montréal, sa neige, sa *slush* et ses nids-de-poule, c'est invivable pour quatre pneus si sensibles. Surtout, pour se faire repérer par le staff de mouchards du Canadien dans les bars branchés de la ville à pas d'heure, y a pas pire.

Quand Martin Gagnon a posé sur le comptoir ses trois bouteilles, le caissier l'attendait.

— Ça sent les prolongations, monsieur Gagnon!

Celui dont la carte *Rookie* chez les collectionneurs avait perdu les trois quarts de sa valeur en quatre ans n'a pas esquissé le moindre sourire parce qu'il n'a pas compris. Le caissier, clin d'œil à l'appui, a alors fait passer les bouteilles sur le tapis.

— Une... Deux... Trois... La nuit va être longue!

Là, Martin Gagnon n'a pas voulu relever.

— Party d'équipe?

— Genre...

— Mille quatre cent dix-neuf, tout rond. Notre record du jour!

Le millionnaire du hockey a sorti sa liasse de billets. Derrière, dans la file, quelques clients se sont donné des coups de coude en reconnaissant leur ancienne idole dépenser en quelques secondes ce qu'ils ne gagneraient jamais en un mois. Sentant les regards sur lui, Martin Gagnon leur a tourné le dos et s'est penché vers le caissier.

— Vous savez pas où il y a un magasin de jouets, proche?

— Dans le quartier, je ne vois pas.

Un client, dont l'haleine témoignait qu'il avait entamé les célébrations de Noël depuis fort long-temps, est sorti du rang.

— Y a Le Paradis des Jouets, sur Sherbrooke. Mais je pense qu'il ferme aussi à cinq heures.

— Merci, c'est gentil.

Martin Gagnon a regardé l'horloge derrière la caisse. Seize heures cinquante. Il a rapidement payé, sans voir le client éméché s'approcher.

— Tu peux me signer ça pour mon fils?

— Bien sûr… Il s'appelle comment?

— Christian!

Le champion a saisi le stylo posé sur la caisse pour battre son record du monde de signature en milieu naturel. Il a vite rendu le dépliant vantant les vins du Portugal portant désormais sa griffe, à tout jamais.

— Pis encore un pour mon beau-frère Jean-Pierre… Pis un autre pour mon boss à la job… Gérald… Ça va lui faire plaisir, surtout qu'il a failli me crisser dehors parce qu'il m'a pogné saoul sur mon tracteur.

— OK, mais pas un de plus, un taxi m'attend, et j'ai encore des courses à faire.

Martin Gagnon a battu son précédent record. Sitôt les deux dépliants signés, il a vite lâché le stylo pour attraper deux bouteilles dans une main, la troisième dans l'autre, afin que plus aucune ne soit disponible.

— Pis un petit dernier pour mon petit frère!

— Je dois vraiment y aller.

— Il est handicapé!

— Tabarnouche… Manquait plus que ça.

— Quoi, tabarnouche, manquait plus que ça ? T'achètes pour mille cinq cent piastres de vin avec notre argent pis t'as pas deux secondes pour signer un autographe pour un handicapé ?

— J'ai pas refusé un autographe pour un handicapé, c'est juste que le magasin de jouets va fermer.

— Ben c'est ça, quand tu voulais savoir où y avait un magasin de jouets, t'étais ben fin. Pis maintenant que tu le sais, tu me traites comme de la marde.

Martin Gagnon, comme tout bon attaquant qui sait revenir en arrière quand il devine qu'il ne pourra s'infiltrer dans une défense hermétique, a reposé les bouteilles sur le comptoir, repris le stylo, saisi le dépliant vantant, encore et toujours, les vins du Portugal, puis il s'est tourné vers le client ivre, mais n'a quand même pas réussi à lui sourire.

— Il s'appelle comment ton frère, qu'on en finisse ?

— J'en veux plus. Pis de toute manière mon frère handicapé, il sait pas lire. Regarde ce que je fais de tes autographes !

En deux temps, trois mouvements, les dépliants se sont transformés en flocons rouges et verts, une fois déchirés et jetés dans les airs.

— On n'en veut pas des gars comme toi à Montréal !

Le client n'a pas eu le temps de tituber de deux pas vers la porte que Martin Gagnon l'a saisi au col pour le plaquer contre le présentoir des champagnes bulgares.

— Toi, mon hostie ! Si tu me respires encore une fois ton haleine de coyote dans ma face, je t'écrase la yeule si fort que le temps que les os se recollent tu pourras pas souhaiter joyeux Noël à personne avant l'été !

Le client a dessoûlé d'un coup. Il s'est rendu compte que l'expression « mèche courte » ne pouvait s'appliquer à Martin Gagnon qui, de toute évidence, n'avait plus de mèche du tout. Alors, la vie du mastodonte qui lui faisait face a défilé devant lui. Il a revu toutes les unes du *Journal de Montréal* auquel il ne se serait jamais abonné s'il avait su : « Gagnon se bat au couteau dans un bar de la rue Crescent », « Trois policiers ne suffisent pas pour arrêter un Gagnon en furie », « Gagnon interpellé pour tapage nocturne après son cinquième tour du chapeau », « Gagnon s'enfuit d'un hôtel avec deux autres joueurs », « Gagnon cueilli au petit matin ivre dans un hôtel », « Bon vent, Gagnon, Montréal ne veut plus de toi ! »

Mais voilà, pour ce fidèle lecteur du *Journal de Montréal*, le vent avait tourné, virant à la tempête. C'était désormais à une tornade qu'il faisait face.

Courageusement, le caissier a parlé de loin, en prenant tout de même soin de reculer.

— Sans vouloir interrompre votre discussion monsieur Gagnon, si vous tardez encore, le magasin de jouets va être définitivement fermé... Enfin, je dis ça comme ça, moi.

— Je m'en crisse !

En fixant droit dans les yeux sa proie dont les yeux imploraient la pitié, ou au pire la résurrection, Martin Gagnon, sans la moindre émotion, a serré encore plus fort le cou de l'ivrogne ayant eu l'imbécile idée de s'inventer un frère handicapé pour collecter un ultime autographe qu'il comptait revendre au marché noir, aux portes du Forum.

— Qu'est-ce qui est pour vous le plus important, ce soir ?

Martin Gagnon s'est tourné pour fusiller du regard l'intrus qui avait osé l'apostropher en pleine mise à mort. À la porte du magasin, le chauffeur de taxi pointait du doigt l'homme qui respirait avec peine parce qu'on le serrait vraiment fort au col.

— C'est votre ami ?

— Tout le contraire !

— C'est avec ceux qu'on aime qu'on passe Noël, non ?

Martin Gagnon s'est répété la phrase à trois reprises. Puis il a relâché l'ivrogne qui, sans demander son reste, est allé se réfugier derrière le rayon des vins californiens. Le client a ramassé ses bouteilles de Cheval Blanc pour sortir de la Maison des vins, tête basse. Il a rejoint le chauffeur qui, après avoir fendu la foule agglutinée devant la vitrine, lui a ouvert la portière de son taxi.

— Merci.

— Un taxi de nuit, c'est le berger des brebis égarées.

— Bon, ça va faire tes grandes phrases. On dirait un coach qui jase.

Deux heures plus tard, le taxi tournait depuis plus d'une heure trente dans l'Île-des-Sœurs, refuge des banquiers, des cadres supérieurs, des stars et des hockeyeurs qui veulent éviter la ville tout en la voyant de leur jardin. Mais à force de penser pareil, on finit toujours par se ressembler.

— Alors, ça vous revient toujours pas ?

— Sont toutes pareilles, ces crisses de maisons. Pis avec la neige, elles sont toutes blanches, tabarnak.

— Vous êtes vraiment certain que vous n'avez pas son numéro sur vous ?

— J'ai oublié mon calepin à Los Angeles, je te l'ai déjà dit ! Je vais pas te répéter tout deux fois !

— Et si on s'arrêtait dans une cabine pour appeler les renseignements?

— Pas la peine. Il a un numéro confidentiel.

— Quelqu'un d'autre, peut-être?

— Tous les autres aussi. Même le préposé aux chandails.

— Un ami journaliste?

— Ça existe pas, un ami journaliste! Crisse que je suis tanné. Allez, on rentre!

— Soyez patient. Je vais essayer par là. On n'y est pas encore allé, je crois…

— On rentre, j'ai dit. Pis crois pas que je le vois pas ton petit jeu pour faire tourner le compteur.

— Je le coupe. Y en a plus. Le seul compteur dans la voiture, c'est vous maintenant. Enfin, dans le temps… Alors, j'ai le droit de rentrer par où je veux. Et je choisis de rentrer par là! C'est ma tournée!

Martin Gagnon n'a pas lutté et a posé sa tête sur la vitre. À travers la neige qui tombait toujours, il a vu défiler d'autres maisons illuminées. À l'intérieur, il y avait de la vie et de la joie. Les cadeaux s'ouvraient. Les enfants riaient et les parents savouraient de les voir heureux. Martin s'est alors tourné vers le siège sur lequel étaient posés trois sacs Le Paradis des Jouets pleins de paquets colorés qui ne demandaient qu'à être offerts. Il a baissé ses paupières et s'est laissé bercer un moment. Rien n'allait depuis ce matin. Non, depuis le début de la saison. À bien y penser, c'était la merde depuis longtemps. Plus rien n'allait.

Pourquoi la chance l'avait-elle quitté? Celle qui lui avait toujours offert le bon rebond. Ce poteau providentiel qui vous aide à la mettre au fond. Pourquoi se détournait-elle aujourd'hui? Au fond, cela n'avait plus d'importance. Plus qu'une saison à tirer. Peut-être deux si son agent parvenait à convaincre un club de le prendre en faisant un rabais encore plus gros. Mais après… mais après quoi? Martin Gagnon a rouvert les yeux vers le plafond de l'habitacle éclairé par les lumières vertes du tableau de bord, puis s'est lentement tourné sur le côté. Il s'est redressé d'un coup et a frappé la vitre.

— Là! C'est là, je la reconnais!

Le chauffeur a appuyé sur les freins. En dérapant, l'auto a fait demi-tour pour s'immobiliser devant l'allée déneigée de la maison. Il a baissé la vitre électrique séparant son client de sa destination.

— Regardez bien. On a déjà dérangé quatre familles en plein réveillon et chaque fois, ça vous a coûté des autographes et une photo devant le sapin.

— C'est là, j'en suis sûr! C'est devant cette maison qu'il a posé dans *Hockey News*. Pis c'est au douze. Il a toujours porté le numéro douze! Puis regardez la boîte aux lettres en forme de but de hockey. Y a rien que lui pour avoir des goûts aussi quétaines.

Martin a rapidement jeté un coup d'œil au compteur qui indiquait cent dix-neuf dollars et vingt-cinq cents. Il a sorti de sa poche sa liasse de billets de vingt dollars et en a jeté huit sur le siège avant.

— Garde tout, et joyeux Noël !

— Mais c'est trop !

— Discute pas.

— Je vous attends, au cas où ?

— Non, pas la peine.

Le client est sorti, les bras chargés de tous les paquets cadeaux et des bouteilles de vin, et s'est engagé dans l'allée. À la porte d'entrée, il a sonné comme il a pu, avec le nez. Derrière lui, le taxi a disparu dans la nuit. La porte s'est ouverte sur un homme dépassant Martin Gagnon de trois bons pouces, vêtu d'une chemise blanche moulant d'énormes épaules, nœud papillon et serviette autour du cou, finissant de mâcher sa tranche de pâté d'orignal. À sa vue, Martin Gagnon a hurlé sa joie.

— *I'm back !*

Le colosse a vite refermé la porte derrière lui en s'assurant qu'on ne l'avait pas vu de l'intérieur et il a dégluti pour mieux chuchoter.

— Qu'est-ce que tu fous là ? T'as pas eu mon message ?

— Quel message ?

— Ce matin, chez toi, à Los Angeles.

— Non, j'ai décâlissé à l'aurore. J'avais rien de prévu là-bas, à soir.

— Lagagne, ça va pas être possible.

— Comment ça, pas possible, Labarre ?

— Je suis en famille.

— On n'est pas une grande famille, nous, les joueurs ? Canadien un jour, Canadien toujours ! Hein, Labarre ?

— Arrête de m'appeler Labarre, c'est fini tout ça.

Georges D'Amour n'avait pas vingt ans lorsqu'il était arrivé au grand club en provenance de Rouyn-Noranda. Dans sa jeunesse, ce fils de mineur avait écumé les arénas du Grand Nord en écrasant systématiquement la gueule de tout ce qui patinait sur son passage. À coups de poing, il avait vite écrit sa légende en lettres de sang. Aujourd'hui, il était le *goon* le plus craint de la ligue avec plus de cinquante nez cassés et vingt mâchoires fracturées à son tableau de chasse. Un don de la nature, disait-il.

— À la naissance, j'étais déjà tellement gros et fort que le chirurgien, il a ouvert ma mère jusque là !

— Georges, c'est pas une césarienne, ça, c'est un meurtre au premier degré !

À son arrivée à Montréal, Martin Gagnon avait pris sous son aile le jeune espoir du club, si fort, si naïf et si propre sur lui. Rapidement, il lui avait fait découvrir les charmes de la ville et les privilèges afférents à être un joueur du Canadien. Du Thursday au Café Cherrier en passant par le Disco 1234 et tous les endroit à la mode que la ville comptait, le jeune provincial avait découvert les files d'attente s'ouvrant pour le laisser passer, les meilleures tables toujours libres pour lui malgré la cohue, et ces verres offerts sans même les commander.

— Georges, elle est pour toi celle-là !

Dans les clubs de danseuses, cathédrales à l'autel desquelles tous les joueurs aiment se prosterner, le mastodonte avait brûlé les papillons de sa jeunesse, jusqu'à y gagner son surnom.

— J'ai jamais vu des seins gros de même !

— Normal, Georges, t'as les yeux collés à la barre !

Chez Parée, Wanda's ou au Sex Paradisio, Georges D'Amour avait non seulement ses entrées, mais, surtout, sa place réservée au premier rang, au pied de la scène en aluminium.

— Bon, allez, on s'en va, Labarre !

— Attends Lagagne, encore une danse ! Elle est trop *hot* !

Mais là, en ce soir de réveillon de Noël, il commençait à faire vraiment froid dehors. Le mentor déchu est resté un instant à fixer son ancien élève qui, clairement, avait déserté ses cours. Un interminable silence a réuni les deux hommes. Soudain, la porte d'entrée de la maison s'est ouverte.

— Même le soir de Noël, les quêteux d'autographes, ils viennent nous acha…

Affichant l'air blasé des bourgeoises parvenues ne supportant pas qu'un quelconque pépin viennent retarder la sortie du four de la dinde de Noël, la jeune femme ne s'est pas contentée de fusiller l'intrus du regard, elle l'a littéralement mitraillé. Feignant de ne pas avoir entendu le bruit des balles, Martin Gagnon s'est fendu de son plus beau sourire, illuminé de ses belles dents.

— Hey! Bambi!

Pour toute réponse, la jeune femme, si blonde et si belle, a levé les yeux vers son homme qui la dépassait d'un bon pied et demi. D'une tape sur l'épaule, elle lui a rappelé sa mission. Pas de doute, le capitaine dans cette belle maison de l'Île-des-Sœurs, c'était bien elle. La porte s'est refermée sur un Martin Gagnon stupéfait.

— Tu l'as mariée?

— On dirait, oui.

— Elle travaillait où, déjà, elle?

— C'est du passé…

— Au Sex Paradisio ! J'ai une mémoire phénoménale pour ça ! Y a pas à dire, c'était la meilleure.

— C'est de ma femme que tu parles.

Les deux hommes se sont défiés un moment. Le plus grand des deux n'a pu soutenir le regard de son coéquipier quémandant qu'on lui ouvre la porte.

— Quand elle a su que tu revenais en ville, elle m'a fait promettre de ne pas te fréquenter en dehors du Forum.

— Tu me niaises ?

— Écoute, Lagagne, ça a beaucoup changé depuis qu'ils t'ont viré… Enfin, échangé… C'est plus comme avant… Au club, ils veulent que les gars marchent droit… Y ont plus envie de payer les *bills* et donner des places dans les loges aux bœufs, aux patrons de bar et au personnel des hôtels pour qu'ils oublient ce qu'ils ont vu… C'est fini tout ça, Lagagne… Faut passer à autre chose…Tu vas bientôt avoir quarante, penses-y…

— Hey, je viens juste d'avoir trente-six !

— C'est ça, bientôt quarante.

— Tu peux pas me faire ça… En plus j'ai une suite à l'hôtel. Je pensais qu'on ferait venir des filles… deux ?… quatre ?

Comme si les vieux démons de ses jeunes années ressurgissaient, Georges D'Amour a semblé un instant vaciller. Se ressaisissant vite, il a attrapé la poignée de la porte et il a posé son autre main, amicale, sur l'épaule de son coéquipier retrouvé.

— On ira luncher la semaine prochaine. Je t'invite. Salade, poisson grillé, eau minérale. Ça restera entre nous, on dira rien à Julie. Mais à soir, je peux vraiment pas.

Si la coupe Stanley s'était décrochée de l'étagère des trophées du bureau du président du Canadien pour lui tomber sur la gueule, ça n'aurait jamais pu faire aussi mal à Martin Gagnon. Les douleurs les plus grandes sont toujours les plus sourdes. On n'a pas la force de hurler. On encaisse, en dedans.

— Bon, ben prends au moins les cadeaux. Tu diras que c'est de la part d'un ancien chum. Y a des consoles Nintendo, des jeux, des épées, des mitraillettes, des fusils, pis des costumes de cowboy… Je me souvenais plus si t'en avais deux ou trois. Dans le doute…

— J'en ai quatre, rien que des filles. Pis Julie, elle veut que des jouets éducatifs. Des jeux violents, elle en veut pas à la maison. Elle dit que ça traumatise suffisamment les filles de voir leur père se battre tous les soirs aux nouvelles.

Le souffle court, le même qui vous coupe en deux lorsqu'on vous plaque contre la bande, Martin

Gagnon a décidé d'écourter sa présence en désavantage numérique.

— Tu lui as jamais dit que c'est parce que tu avais ce talent rare d'écraser la gueule des gars d'en face que tu pouvais lui payer une maison belle de même ?

— *Please*, c'est Noël, Lagagne.

— Pis, tu lui as rappelé que c'est moi qui vous ai présentés ?

— Je t'ai remercié mille fois… Tu veux que je t'appelle un taxi ?

— Non, merci. Ça ira. Je vais rentrer à pied.

— On se revoit à la pratique, *full shape* ?

George D'Amour a salué son ancien ami, puis, sans un regard, il est rentré dans sa grande maison toute chaude en prenant soin de ne pas faire claquer la porte trop fort. Dans l'allée, Martin Gagnon n'a pu se retenir de donner un violent coup de pied dans le piquet qui tenait la boîte aux lettres en forme de but de hockey. Elle n'est même pas tombée. Sur le trottoir, il a marché, tête basse. Au premier carrefour, il a cherché où aller. Au loin, il a aperçu les lumières de la ville. À travers les flocons qui tombaient, les grandes tours de Montréal se dessinaient telles des étoiles montrant le chemin. La neige fraîche a commencé à s'incruster dans ses souliers, jusqu'à gorger ses chaussettes d'eau. Mais il a continué à avancer. Ce qui lui arrivait ce soir de réveillon, il l'avait toujours redouté. Parce qu'on le lui avait promis.

— Tu verras, Lagagne, tu finiras seul. Tout seul.

Martin Gagnon s'est arrêté. Il ne voulait plus marcher, juste attendre ce qui allait se passer, quitte à être enseveli sous la neige qui tombait et s'y noyer, avec ses paquets cadeaux et ses bouteilles de vin, pour n'être que le seul spectateur à le voir retourner au banc la tête basse. Ainsi, il n'entendrait pas les huées de ceux qui l'avaient aimé, à guichet fermé. Au coup de sifflet final, il irait en paix, délivré de ne vivre que pour d'autres, sans jamais avoir su pourquoi. Le vieux joueur de centre a fermé les yeux pour sentir les flocons se poser un à un sur ses cheveux et son visage. Il s'est mis à les compter pour savoir si l'éternité avait un prix. En cet instant, il était prêt à tout donner, ne plus rien garder, juste pour ne pas avoir à subir encore plus le poids de cette immense solitude. Son Cerutti en cachemire a commencé à laisser filtrer l'humidité des flocons qui recouvraient maintenant ses épaules voûtées. Il s'en foutait. Il ne voulait surtout plus bouger, ne plus se battre, attendre aussi longtemps qu'il le faudrait pour savoir s'il existait encore. Dans sa tête, désormais si vide, il a continué à égrener les flocons. Il n'est pas allé jusqu'à mille. Derrière lui, le moteur d'une auto a démarré. Des essuie-glaces ont déblayé un pare-brise enneigé. Sur le toit tout blanc, la pancarte du taxi s'est éclairée en lettres rouges. Martin Gagnon s'est dirigé vers la grosse Chevrolet Caprice blanche et il a ouvert la portière arrière. Il a jeté ses paquets enrubannés sur le siège ainsi que ses bouteilles de vin. Il s'est assis et n'a rien dit. Le chauffeur a mis son clignotant, même si la rue était déserte. Il a démarré lentement sans demander où il devait aller ni même allumer le compteur. Martin Gagnon s'est pris la tête à deux mains. Le chauffeur a regardé loin devant les grandes tours éclairées de Montréal et a mis le cap dessus. Il a jeté un bref regard dans le rétroviseur sur son client recroquevillé et grelottant, puis de nouveau, il a fixé la ville.

— Ne pleurez pas. Il y a toujours, quelque part, quelqu'un qui vous aime.

QU'EST-CE QUE TU FAIS LÀ, TOUT SEUL ?

— Mais il va cuire !

— Ou s'évaporer ?

Le concierge n'a pu s'empêcher de ricaner. Mais au bout du fil, on ne riait pas. Le directeur de l'hôtel n'avait pas apprécié qu'on le dérange alors qu'il distribuait, dans son costume de père Noël, les cadeaux à ses petits-enfants qui ne l'avaient toujours pas reconnu. De plus, il avait beaucoup de mal à parler avec sa fausse barbe et ça l'agaçait.

— Ça fait combien de temps qu'il bout ?

— Trente minutes, maintenant.

— À quelle température ?

— Soixante-dix.

— T'as pas le mode d'emploi ?

— Si, mais c'est tout écrit en suédois.

— Comment on fait d'habitude ?

— D'habitude ? Ben, tous les clients chialent au bout de cinq minutes parce qu'ils ont trop chaud.

Vous les connaissez? Plus ils sont riches, plus ils se plaignent.

— Bon, va le voir et demande-lui si tout va bien.

— Non, non, non! Vous auriez vu comment il m'a parlé quand il est arrivé.

— Écoute-moi bien. J'ai mes douze petits-enfants au sous-sol qui sont en train de hurler "père Noël, père Noël!" depuis que tu me tiens au bout du fil. Alors, si t'y vas pas tout de suite, ton cadeau à toi, ça va être la porte!

Le concierge a raccroché et s'est rendu à la cloison en bois. Avec sa clef passe-partout, la plus grosse du trousseau, il a frappé doucement.

Toc toc toc!

— Quoi?

— Tout va bien, monsieur Gagnon?

— Non!

— Que pourrais-je faire pour vous accommoder?

— Me crisser patience!

Après s'être assuré que le concierge avait bien quitté le sauna, Martin Gagnon s'est levé et a remis de l'eau sur les pierres chaudes. Un immense nuage de vapeur s'est formé pour envelopper son corps nu. Il s'est rassis sur la serviette posée sur le banc supérieur de la cabine. Là, tout seul dans le coin, il a senti les gouttelettes descendre le long de son torse et de son ventre. Il a alors tendu les jambes pour entendre l'eau cliqueter sur le sol. Il s'est adossé à la paroi brûlante en serrant les dents un instant. Rapidement, il s'est habitué à la douleur causée par la chaleur. Mais à celle qui le rongeait de l'intérieur, il ne pouvait s'y faire.

« Tu verras, Lagagne, tu finiras seul. Tout seul. »

Pourtant, après la débâcle de l'Île-des-Sœurs, Martin Gagnon avait bien tenté de faire mentir la prédiction alors que le taxi s'arrêtait devant l'hôtel.

— Tu fais quoi, toi, ce soir? Ça te dit pas de boire un petit coup avec moi?

— C'est gentil, mais j'ai du travail. Pis dans une demi-heure, les premiers réveillonneurs vont sortir.

— J'ai une idée. On parque ta voiture, on laisse tourner le compteur, pis je te paierai après.

— C'est gentil, mais je ne peux pas.

— On peut même boire en restant en dedans.

— Un taxi de nuit, c'est fait pour ramener les gens saouls, pas pour les faire boire.

— Mais c'est moi qui veux te faire boire. Pas toi.

— Je vous l'ai déjà dit. Je suis le berger, moi. Pas la brebis égarée.

— Arrête avec tes histoires de brebis! Tu me fais vraiment penser à un ancien coach. Il était même capable de parler d'un vol d'outardes pour expliquer notre tactique en avantage numérique.

— Très drôle! C'était qui?

— Je sais plus. Pas important… Allez, juste un verre ?

— Je vous ai déjà répondu.

— Prends juste une bouteille. Tu la boiras en pensant à moi.

— Je ne bois jamais d'alcool pour penser.

— Hey, taxi-la-morale, prends les jouets, au moins. S'il te plaît. Fais quelque chose pour moi. Qu'est-ce que tu veux que j'en fasse ?

— C'est gentil, mais je n'ai pas d'enfants. Je n'ai jamais eu cette chance. *Se bon dye ki konnen…*

— C'est vraiment pas ma nuit…

— Attendez qu'elle soit finie et, après, vous le saurez.

À ce moment, la porte du taxi s'était ouverte. Martin Gagnon avait sursauté en apercevant le concierge qui lui tenait la portière avec un grand sourire et un parapluie. L'accalmie avait été de courte durée. Quand le client était sorti de l'auto avec ses cadeaux, mais surtout ses trois bouteilles de vin, il avait vite compris que rien n'allait s'arranger du côté de la réception.

— Monsieur Gagnon, je pensais avoir été très clair. Vous deviez aller boire chez un ami.

— Va chier !

— Je vais être obligé d'appeler le directeur.

— M'en crisse !

Dans le hall de l'hôtel, Martin ne s'était pas arrêté à l'ascenseur, même si Charles-David l'y attendait. Il s'était contenté de lui sourire en glissant un billet de vingt dollars dans la poche de sa veste avant de le prier de monter dans sa suite les bouteilles de vin et les paquets cadeaux. En longeant le couloir menant au sauna, il avait entendu, au loin dans le lobby, le concierge mettre sa menace à exécution.

— Allô ! Monsieur le directeur ? Il est armé de trois bouteilles de vin. Pis, pas de la merde, en passant !

Les sportifs fêtent ensemble sous la douche mais oublient leurs échecs dans le sauna parce que la vapeur empêche de s'y regarder les yeux dans les yeux. La défaite en devient plus facile à partager. Depuis près d'une heure, Martin Gagnon ne voyait plus rien, ne voulait rien voir, et personne ne voulait le voir. Pourquoi avait-il quitté Los Angeles ce matin sur un coup de tête alors qu'on ne l'attendait à Montréal que dans deux jours ? Une de ces décisions irréfléchies dont il avait le secret. Ces bifurcations comportementales qui vous éloignent systématiquement du bon chemin jusqu'à ne plus y croiser personne. Il s'est levé et a remis de l'eau sur les pierres chaudes. Il voulait bouillir un bon coup pour mieux rétrécir. Jusqu'à disparaître. Que jamais personne ne le retrouve. Peut-être, alors, on se souviendrait de lui.

Mais avant de s'évaporer, autant se l'avouer : il n'avait pas quitté la cité des anges au petit matin. Il l'avait fuie. Pas en courant, mais sans se retourner, parce que personne ne le retenait. Sur ses vingt-trois coéquipiers, un seul était venu le saluer à l'annonce de son échange.

— Ça t'embête si je reprends ton casier? Le mien, il est près de la toilette pis ça pue, je te raconte même pas.

Alors, il avait appelé Georges, ce bon vieux Georges. Il avait laissé un message sans jamais douter de la réponse. Amis un jour, amis toujours. Certes, Martin Gagnon lui en voulait d'avoir fermé sa porte, mais pas autant qu'à Bambi. Pourquoi fallait-il que les femmes, après avoir levé un hoc-keyeur, ne soient plus les mêmes? Parce que Bambi, enfin Julie, si elle avait feint de l'avoir oublié, lui se souvenait bien d'elle. Surtout de sa devise : « Un joueur du Canadien, sinon rien. » Il y avait pensé. Elle aussi.

— Lagagne? Ça ferait pas des beaux enfants, toi et moi? Ton coup de patin et ma beauté. T'imagines?

Martin n'avait jamais voulu l'imaginer et c'était pourquoi il l'avait présentée à Georges D'Amour. Parce que les enfants, ça fait surtout de belles pensions alimentaires. Tous les hockeyeurs le savent. À son arrivée dans la ligue, les vieux de la vieille l'avaient bien prévenu. Martin Gagnon avait écouté ces pères et n'avait pas eu d'enfant. Mais il avait réussi à avoir la pension alimentaire.

— C'est scandaleux, monsieur le juge! C'est moi qui patine et elle, elle fait rien! Elle veut même pas laver mes chandails, mes bas et mes *jock straps*!

En jetant son dévolu sur une serveuse *topless* en lieu et grâces d'une danseuse nue, Martin Gagnon avait opté pour la demi-mesure. Cynthia s'exposait, certes, à moitié nue, mais surtout à mi-temps parce qu'elle étudiait à trois quarts temps pour devenir avocate. Autant dire que cette jeune fille travaillait dur pour réussir dans la vie. Martin y avait vu le droit chemin se dessiner. Un an, presque jour pour jour, après avoir été chassé de Montréal avec fracas, il avait épousé la belle Cynthia. Ses coéquipiers de Winnipeg avaient fait une haie d'honneur avec leurs bâtons. La nuit de noces, Martin était rentré ivre mort dans la grande maison qu'il avait payée cash. Cynthia avait dû le prendre dans ses bras pour lui faire passer la porte d'entrée. Cette première année de lune de miel sans cesse renouvelée avait été couronnée par le championnat des marqueurs.

— L'amour, ça donne des ailes pis on tire plus fort!

À Winnipeg, on jubilait. À Montréal, on pleurait. Le président du Canadien avait dû faire face aux critiques enflammées des journalistes. Comment avait-il pu échanger cette « machine à compter des buts »? Surtout que s'il avait fallu se séparer de tous les joueurs qui avaient un jour fait la fête, l'équipe ne compterait plus que le coach et le préposé aux bâtons. Le président s'était vu forcer de démissionner. Le paria tenait sa vengeance. Mais la joie avait été de courte durée. Cynthia voulait un enfant. Pas demain, pas dans un mois. Maintenant.

— Si on fait ça ce soir, il naîtra en juin et on l'appellera Stanley!

Martin Gagnon avait évoqué la dure vie d'un joueur de hockey, ses absences, le risque d'être échangé ou blessé à tout moment. Cette vie infernale qu'il risquait d'offrir à l'enfant. Le jeune marié avait donc proposé de remettre le projet au camp d'entraînement suivant. Dans la chambre, les vieux de la vieille l'avaient félicité.

— Pis en plus, t'es agent libre sans compensation dans un an. T'as vraiment eu chaud…

Mais à la maison, ça avait jeté un froid. Cynthia avait abandonné ses cours de tricot pour retourner sur les bancs de la faculté de droit. Martin, lui, était retourné à ses vieux démons. Après chaque match, il invoquait une réunion d'équipe ou un tête-à-tête avec le coach pour établir une nouvelle tactique à court d'un homme et rentrait à pas d'heure. Au bout de quelques semaines, il n'a plus rien eu à invoquer, sa femme s'en foutait. Comme tout couple sans projet, ils avaient de moins en moins de choses à se dire. Dans le silence de la grande maison, Cynthia passait son temps à écrire sa thèse. Martin n'aimait pas lire. Il aurait dû faire un effort.

Un soir, au retour d'un périple de six jours à l'étranger, ponctué de six buts, quatre passes, cinq gueules de bois et trois filles ramenées dans la chambre, enfin celle de l'hôtel, Cynthia avait déposé sa thèse, reliée avec soin, sur les valises qu'il venait de lancer dans le grand hall. Martin n'avait eu qu'à baisser la tête et lire le titre pour comprendre que ça n'était pas la peine de les défaire. *Une répartition équitable des biens du couple même sans enfant* avait valu à Cynthia une mention « très très très bien » à l'université. Lorsqu'elle en avait fait un livre à succès, elle avait envoyé un exemplaire dédicacé à Martin pour le remercier de lui avoir mis le pied au porte-monnaie.

❦

Les pierres chaudes ne renvoyaient plus aucune vapeur. Seul le corps ruisselant de Martin Gagnon fumait encore dans ce sauna, si vide. Il n'aurait jamais dû écouter les vieux de la vieille qui avaient tous fini par se marier et avoir des enfants.

— Quitte à payer la pension, autant en profiter, non ? Finalement, Lagagne, on en doit une belle à ton ex ! Allez, c'est ma tournée, mais un seul verre, faut que je rentre torcher les petits ! Y a rien de plus beau qu'une famille. Penses-y.

Martin a voulu chasser ces idées roses en remettant de l'eau sur les pierres noires. Il a saisi la louche, l'a plongée dans l'eau. Soudain, il s'est arrêté. Quelqu'un lui parlait. Mais ça n'était pas clair. Il s'est mis l'index dans l'oreille pour se déboucher le conduit auditif obstrué par la sueur qui s'y était logée. Et à nouveau, la voix a parlé. Elle était chaude et grave. Martin Gagnon a levé un instant la tête vers les lambris du sauna suédois au-dessus de sa tête. Il les a longuement observés. Dans le dessin que l'humidité avait tracé sur le bois, il a cru distinguer des épines tressées posées sur la tête d'un homme barbu aux cheveux longs qui, manifestement, avait les bras écartés et peut-être bien des clous plantés dans les mains. Il s'est demandé si, pour mieux entendre, il ne serait pas bon, en cet instant, de s'agenouiller, mais il n'a pas eu le temps de mettre sa pensée à exécution que de nouveau la voix a parlé. Et là, il a tout bien compris.

Il y a toujours, quelque part, quelqu'un qui vous aime…

Au plus profond de lui-même, il est allé chercher l'amour, ce sentiment enfoui qu'on ne sait définir quand on ne l'a jamais donné. Il s'est recroquevillé pour mieux le retrouver. Prostré, il a cherché et cherché. Au bout de vingt bonnes minutes, il s'est relevé et il a enroulé la serviette autour de sa taille avant de sortir de la cabine. Quand il a posé ses pieds sur la faïence glacée, le froid l'a transpercé et la tête lui a tourné, un instant. Il a ramassé au sol ses vêtements qu'il avait jetés là en arrivant et il est sorti du sauna en courant.

Il y a toujours, quelque part, quelqu'un qui vous aime…

Quand Martin Gagnon a traversé en trombe la réception, le concierge, à la vue de son client quasiment nu et fumant, a eu besoin de s'asseoir. Rien n'allait, donc tout était normal, pas la peine de déranger le directeur pour ça. Charles-David a ouvert les portes de l'ascenseur, mais une nouvelle fois, Martin Gagnon a passé son chemin, préférant emprunter l'escalier de secours.

— S'cuse, p'tit. J'ai pas le temps d'attendre !

Il a gravi les marches quatre à quatre, aussi vite qu'il a pu. Il a perdu sa serviette deux fois pour se retrouver nu. Au septième, puisqu'il ne restait que deux étages à monter, il l'a gardée dans sa main. Arrivé au palier du neuvième, il a couru vers la porte de sa chambre et il a posé ses vêtements au sol pour y chercher sa clef. À genoux, il a cherché dans chacune de ses poches.

— Elle est où, tabarnak !

La porte devant lui s'est ouverte. Une femme a hurlé de terreur à la vue du client, nu. Martin Gagnon a vite saisi la serviette pour se couvrir. La femme, habillée de noir avec un petit tablier blanc, est sortie sur le palier.

— Excusez-moi, monsieur, quand le groom est venu porter vos paquets dans votre chambre, il a vu que le sapin était tombé. Le concierge m'a demandé de nettoyer le verre brisé des ampoules pour que vous ne vous blessiez pas.

L'homme a replacé la serviette sur sa taille et il s'est relevé pour entrer dans sa suite. Prenant soin de bien verrouiller la serrure, il a couru vers le téléphone de la chambre.

Il y a toujours, quelque part, quelqu'un qui vous aime…

Assis sur le grand lit king, il a décroché le combiné. Au moment de composer le numéro, il a
hésité. Il a marmonné quelques chiffres dans un
grand désordre, s'est arrêté un moment, et, d'un
coup, il les a remis dans l'ordre pour composer le
numéro sur le clavier. Ça n'a pas répondu tout de
suite, alors, souhaitant que l'on décroche, il a croisé
les doigts. Son vœu a été exaucé. Lorsque la voix
d'une femme a répondu, ses yeux se sont embués.

— Allô?

— C'est moi.

— C'est qui, moi?

— Ben, Martin…

— Martin qui?

— Ton fils.

— T'es fou d'appeler!

— C'est Noël…

— Noël ou pas, je peux pas te parler. Ton père
est dans la pièce d'à côté à regarder son sapin
clignoter.

— Il a fait un sapin?

— Ben voyons, on a toujours fait un sapin.

Combien de paires de patins Martin avait-il
découvert sous le sapin? Facile à compter. Une par
an depuis l'année de sa naissance.

— Martin, t'es là?

— Oui, m'man…

— Faut que je raccroche.

— On peut pas parler un peu?

— T'es fou, il est déjà dans tous ses états, juste à savoir que t'es revenu à Montréal et qu'il va encore avoir de tes nouvelles dans les journaux, mais pas à la page des sports.

Quelques secondes, seul le son des respirations s'est fait entendre.

— Tu vas faire quoi ce soir?

— Rien de spécial… Je vais rester tranquille à l'hôtel.

— Bonne idée.

— Maman, je t'aime.

— T'as pas rendu les choses faciles.

— Je sais… Passe le bonjour à papa.

— Martin, tu vas bien?

— Vous me manquez.

— Qu'est-ce qui te prend, Martin, c'est ça, t'as encore bu? Tu changeras jamais.

De l'autre côté de la ligne, on a raccroché. Le bip-bip caractéristique a brisé un instant le silence. Martin Gagnon a reposé le combiné. Il s'est rendu dans la salle de bain pour enfiler la robe de chambre blanche de l'hôtel. Il a regardé le petit sapin. Trois ampoules de la guirlande ne fonctionnaient plus. Il s'est approché de l'arbuste et s'est accroupi pour tenter de les ranimer. Seule l'une d'elles a accepté de clignoter de nouveau. Il l'a longuement fixée, pour ne plus rien voir d'autre, comme il l'avait fait durant son dernier Noël en famille.

— C'est qui, depuis que t'as trois ans, qui t'amène dans les arénas ?

— Toi, papa…

— Qui a vu quand t'avais six ans que t'avais un bras plus court que l'autre et que c'est ça qui te donnait un tir si puissant ?

— Toi, papa.

— Qui a été ton coach en novice et atome ?

— Toi, papa.

— Qui t'a appris toutes tes feintes ?

— Pas toutes, peut-être…

— Ta meilleure. Celle où tu passes tes poignets devant et que…

— Celle de Dickie Moore ?

— Comment ça, celle de Dickie Moore ? C'est pas lui qu'a tout inventé, quand même ! Je te parle de celle où tu passes tes poignets devant pis que tu ramènes ta main vers là.

— Ah, celle-là ? Celle-là, c'est toi, papa…

— Et qui a fait chaque hiver une patinoire dans le jardin ?

— Toi, papa.

— Bon, les garçons, on arrête. C'est Noël.

— Qui s'est sacrifié pour que tu ne manques jamais de rien?

— Toi, papa.

— Qui a toujours eu le plus beau équipement?

— Moi, papa.

— On était les plus riches?

— Non, papa.

— Quand ils t'ont coupé en pee wee AA parce que ce crisse de Ménard voulait pas que tu fasses de l'ombre à son fils, qui a été là pour gueuler?

— Toi, papa… Merci de me le rappeler.

— Martin, Henri! Arrêtez, maintenant!

— Franchement, crois-tu que sans moi, le Canadien t'aurait repêché?

— …

— Crois-tu que sans moi, le Canadien t'aurait repêché?

— Henri, arrête de lui crier après. C'est Noël.

— Non, papa…

— Alors, il est où le problème que je devienne ton agent?

— Je te l'ai déjà dit, papa.

— Tu préfères donner dix pour cent à quelqu'un que tu ne connais pas plutôt que me les donner à moi qui t'ai tout donné.

— Lui, c'est mon agent. Toi, t'es mon père.

— Je suis ton père parce que c'est moi qui t'ai fait! Tu comprends ça? C'est moi!

— C'est pas moi que t'as fait. C'est toi que t'as voulu refaire parce que la ligue, t'y es jamais arrivé!

— C'est comme ça que tu me remercies? À partir d'aujourd'hui, je ne suis plus ton père!

— S'cuse, p'pa…

— Tu peux encore dormir ici à soir, mais demain, tu t'en vas.

Au petit matin, après avoir longuement serré sa mère dans ses bras devant la maison, le fils avait traversé une dernière fois la petite allée déneigée qui coupait le jardin jusqu'à la route. La gorge nouée, il avait juste jeté un dernier regard sur le grand arbre, au pied duquel traînait son premier but de hockey, à la peinture usée et à la rouille envahissante.

❧

Martin Gagnon a marché un instant dans la chambre, sans trop savoir où aller. Il n'y avait en fait nulle part où aller. Il s'est effondré sur le divan et a étendu ses pieds sur la table basse. Il a remarqué le journal du jour, posé sur quelques revues touristiques. Il l'a retourné pour voir la une. Seul un petit bandeau, en haut de la page, mentionnait son retour à Montréal sous le titre « Pourquoi lui? » Sur tout le reste de la page, s'étalait le visage radieux de Georges D'Amour, tout sourire, en compagnie de Julie et de leurs quatre filles.

— Le bonheur en famille pour un dur de dur !

Il s'est levé et a chiffonné le journal qu'il s'est empressé de jeter dans la poubelle. Il a marché jusqu'à ses bouteilles de Cheval Blanc, puis a cherché le tire-bouchon dans le minibar. Étonné de ne pas en trouver, il a ouvert tous les tiroirs de toutes les commodes, des armoires, de la salle de bain, même. Rien. Dans la table de chevet, il n'a trouvé qu'une Bible.

— Qui c'est qui peut bien se faire chier à lire ça ?

Il s'est assis sur son lit *king* et il a saisi le téléphone pour appeler le concierge.

— Ici, la réception, que puis-je pour vous servir ? *How may I help you ?*

— Pourriez-vous me monter un tire-bouchon, s'il vous plaît ?

— Me forcez pas à répéter, monsieur Gagnon.

— Je veux juste boire un petit verre. Je suis seul. Je suis tanné. Je me fais chier dans votre hôtel. J'attends personne et en plus je file pas fort fort !

— Non, désolé. C'est une consigne du directeur.

— Tu me fais monter ce tire-bouchon ou je viens le chercher !

— Vous pouvez toujours venir si vous voulez. Vous ne l'aurez pas !

Martin Gagnon n'a pas pris le temps de raccrocher pour se lever d'un bond. Il a refermé la ceinture de sa robe de chambre, a relevé les manches en ratine blanche pour faire ressortir ses monstrueux avant-bras et il a foncé vers la porte. Il l'a ouverte mais s'est arrêté net. Il est resté un long moment sans bouger alors qu'on le dévisageait. Et là, il a dit ce que n'importe qui aurait dit à ce moment.

— Mais qu'est-ce que tu fais là, tout seul ?

À QUOI TU JOUES AVEC MOI ?

— Vous avez peut-être eu une vision due au décalage horaire ?

— Emmène-moi une carte, et je vais te faire voir combien de fois par an je traverse le pays d'est en ouest !

Le concierge n'a pas pris la peine de se pencher pour ouvrir le tiroir à cartes routières offertes généreusement par l'hôtel aux bons clients qu'on ne veut pas perdre et a tenté de reprendre contenance devant Martin Gagnon, toujours en peignoir aux armoiries de l'établissement.

— C'est peut-être la fatigue à cause du stress de l'échange ?

— Quatorze ans dans la ligue. Des échanges, j'connais ça. Pis pour la fatigue, je joue encore quatre-vingt-deux *games* par an, sans compter les séries.

— Oui, mais sur le quatrième trio et pas plus de dix minutes par soir !

—C'est quoi déjà ton nom? Le directeur me l'a dit mais c'est ressorti aussi vite que c'est entré.

—Moi, c'est Alexandre! Pour vous servir.

—Alexandre, rappelle-moi demain de demander à ton boss de t'acheter un gros manteau, des mitaines et une tuque, parce que ça te réussit pas vraiment de prendre des courants d'air du matin au soir.

Le concierge a soufflé son dépit d'avoir à endurer, dans ces murs si hauts, des propos si bas. Il s'est approché de l'oreille de son client énervé pour y chuchoter.

—Vous n'auriez pas fumé une cigarette donnée par un inconnu ou inhalé… par inadvertance, bien entendu, une quelconque substance… poudreuse… blanche… contre votre gré, je n'en doute pas…

—Toi, t'arrêtes tes insinuations sinon ta tête je vais la rentrer drette dans le casier à clefs!

— Monsieur Gagnon, je vais être obligé de rappeler le directeur.

Lorsque le grand joueur a planté la main dans la poche de sa robe de chambre, le concierge a reculé. Même si aucun incident violent n'avait jamais terni la réputation de l'établissement, il n'a pu s'empêcher de penser que l'homme qui lui faisait face était peut-être armé. Tremblant, il a repéré sur le clavier du téléphone une fois la touche numéro neuf et deux fois la un. Mais la peur a cédé la place à la stupeur lorsque la main du client est ressortie pour se placer devant le visage d'Alexandre.

— C'est quoi, ça ?

Le concierge a, une nouvelle fois, posé les yeux sur le téléphone, mais cette fois, c'était du numéro de l'hôpital dont il cherchait à se souvenir. Si possible, la ligne directe de l'urgence psychiatrique.

— Je répète, c'est quoi ça ?

— Vous savez pas ce que c'est, monsieur Gagnon ?

— Ben oui je le sais. Mais toi, dis-moi c'est quoi ?

— Ben, moi je dirais… une balle…

— C'est tout ?

— Bien, bien… comme elle est rouge. C'est donc une balle rouge que vous tenez dans votre main, monsieur Gagnon.

— Et donc ?

— Donc, vous avez une balle rouge. Voilà !

— Je sais que c'est une balle rouge. Mais comment ça se fait qu'elle est dans ma main ?

— Et bien, elle est dans votre main parce que vous l'avez sortie de votre poche, monsieur Gagnon. Vous ne vous souvenez pas ?

— Elle est quand même pas tombée du ciel, cette balle rouge, tabarnak !

— Détendez-vous, monsieur Gagnon, respirez, je vais passer un coup de fil, juste histoire de savoir comment vous aider.

Le concierge a saisi le téléphone et après avoir regardé l'heure, il a pris son courage à deux doigts et il a commencé à composer le numéro du chalet du père Noël, enfin celui du directeur. Avant qu'il ait pu obtenir la communication, la femme de ménage est apparue de derrière l'une des colonnes en faisant claquer ses talons sur le marbre.

— S'il vous plaît, mademoiselle, pourriez-vous faire un peu moins de bruit, je suis au téléphone avec le directeur. Je dois régler une urgence.

— Je sais pourquoi cette balle est là.

Le concierge a raccroché, soulagé de ne pas avoir à déranger le directeur une autre fois durant son réveillon. Avant qu'elle ne parle, il a tout de même cru bon de préparer le terrain.

— Je vous prie de peser vos mots, mademoiselle, monsieur Gagnon me semble fatigué et je ne voudrais pas qu'un nouveau choc émotif gâche son séjour chez nous.

— Alexandre?

— Oui, monsieur Gagnon?

— Ferme ta gueule!

En l'absence du directeur, mais en présence de la femme de ménage, le concierge, hiérarchiquement le plus haut gradé, a cru bon de feindre ne rien avoir entendu et d'un geste auguste, enfin, du revers de la main, a intimé à la jeune femme de parler.

—On a eu David Copperfield la semaine dernière dans la suite à côté de la vôtre. Une de ses
malles s'est renversée dans le couloir. Je m'en souviens. On a réussi à rattraper les lapins et les
colombes, mais peut-être qu'on n'a pas vu la balle
qui aurait pu se glisser sous un meuble. J'ai pas dû
la voir en nettoyant. Je suis vraiment désolée.

— Il a pas de lapins, David Copperfield.

— Monsieur Gagnon, on va laisser tomber les
lapins et nous allons nous concentrer sur la balle
rouge qui semble vous causer tant de soucis,
d'accord?

Le concierge, après s'être assuré que Martin
Gagnon le regardait, a parlé à la jeune femme sur
un ton vraiment sévère.

— Désolée ou pas, mademoiselle, je me dois de
faire figurer cet écart dans votre dossier d'employée.
Déranger un client aussi honorable que ce monsieur pour une malheureuse petite balle rouge vous
vaudra un avertissement. J'en fais une affaire personnelle. Ce dossier est donc réglé! Besoin de
quelque chose d'autre, monsieur Gagnon?

—Mais il la tenait dans la main, je l'ai vu! Il
portait même une casquette du Canadien!

Tentant de gagner quelques centimètres en se
haussant sur la pointe des pieds, le concierge a
défié Martin Gagnon. Cette fois, et malgré plus de

mille cent cinquante-neuf minutes passés au banc des punitions, dont quatre cent cinquante pour s'être battu, l'ex-terreur de la glace a baissé les yeux à la grande surprise et, surtout, à la grande joie du concierge. Du bout des doigts, Martin Gagnon a doucement fait rouler la balle rouge sur le comptoir.

— Donc, tu me crois pas?

— Monsieur Gagnon, nous avons trouvé une explication rationnelle à ce que cette balle rouge se soit malencontreusement retrouvée à vos pieds. Pour le reste de votre drôle de rencontre à la sortie de votre chambre, rien de concret ne permet de considérer qu'elle a vraiment eu lieu. Alors, au nom du directeur et de l'ensemble du personnel, nous nous excusons si ce regrettable incident a perturbé votre séjour à l'hôtel Saint-Régis. Pour nous en excuser, il nous fait plaisir de vous offrir une séance de massage qui devrait vous détendre. De plus, comme vous avez pu le constater à l'instant, la responsable de ce désagrément sera châtiée comme il se doit. Mais nous n'allons tout de même pas passer le réveillon à trouver réponse pour chacune de vos… euh… visions.

Martin Gagnon a scruté la balle rouge avant de la remettre dans sa poche, puis, tête basse, il s'est dirigé vers l'ascenseur. Le concierge s'est empressé de l'accompagner et a pris soin d'appeler lui-même la cabine en pressant, vite fait et bien fort, le bouton rouge.

— Pas de chance, il est au dernier.

Martin Gagnon a senti un regard posé sur lui.

— Et toi, Charles-David, tu me crois?

Le groom, tout rouge, est apparu de derrière une colonne.

— Alors, tu me crois?

— Je dis pas que ça se peut pas, mais… c'est pas vraiment possible… on l'aurait vu… Y a qu'une entrée ici… Mais peut-être que… On sait jamais… Moi, je suis juste stagiaire…

— C'est bon, te fatigue pas, j'ai compris.

Quand la porte de la cabine s'est ouverte, Martin Gagnon a tendu la main au concierge.

— Bon, Alexandre, va me chercher le tire-bouchon.

— Excusez-moi monsieur Gagnon, mais comme la soirée semble difficile et paraît vous mettre dans un drôle d'état, je ne pense vraiment pas que ça soit approprié…

— S'il te plait, Alexandre.

— J'ai dit… non! Et quand je dis non, c'est non!

❧

Enfoncé dans le fauteuil, les pieds sur la table basse, Martin Gagnon a posé ses lèvres sur le bord du verre avant de l'incliner délicatement pour en faire couler le précieux liquide. Il n'a pris en bouche qu'une petite gorgée de Cheval Blanc.

Plus tôt, après une âpre et longue négociation aux portes de l'ascenseur, il était finalement parvenu à convaincre le concierge de réviser son point de vue.

— Dis-moi, le nain, t'y crois, toi, en la réincarnation?

— Qu'est-ce que vous voulez dire, monsieur Gagnon?

— Je disais ça comme ça… Au cas où il t'arriverait quelque chose de grave… Très grave… Là, tout de suite. Genre un mauvais coup.

— Bon, je préfère ne pas chercher à comprendre sinon on va y passer la nuit et moi j'ai mes Japonais qu'arrivent demain. Alors, je vais monter avec vous. J'ouvre une bouteille. Je vous sers un verre mais je redescends avec le tire-bouchon et vos bouteilles iront cuver dans le coffre-fort de l'hôtel jusqu'à la fin de votre séjour.

Si Martin Gagnon avait d'abord pesté contre le concierge quand il était reparti, jusqu'à lui claquer la porte de la suite dans le dos, il découvrait, depuis, un plaisir inattendu. La gorgée de ce premier grand

cru classé parfumait son palais d'une saveur délicieuse. Des bouteilles à plus de cinq cents dollars,
il en avait bu des coteaux entiers. Mais le verre qui
s'annonçait à lui était rare parce qu'il prendrait le
temps de l'apprécier. Le temps d'y faire attention.
Vivre l'abondance, c'est vivre sans la mesure, sans
jamais ressentir la grandeur et l'excellence de l'infiniment petit. On achète en triple parce qu'en
double on a toujours l'impression qu'il n'y en aura
pas assez pour un.

Après avoir contemplé son verre, Martin Gagnon
a avalé la dernière goutte de la gorgée qu'il avait si
longtemps gardée en bouche. Alors que ses papilles
distillaient encore la douce saveur, il a plissé les yeux
pour mieux jouir de si peu.

— C'est pas donné, mais c'est pas de la marde!

Le souvenir est un trait que l'on tire entre son
présent et son passé. On le classe, le trie, et parfois
on l'enfouit à tout jamais. Mais il peut ressurgir
quand il le voudra au détour d'une odeur, d'un
mot, d'un regard, d'une saveur, d'une sensation ou
d'une pensée. Au fond, en dégustant ce délice, il
ne découvrait rien. Il avait juste tout enfoui en lui
pour mieux oublier.

— Un glacé à l'érable, s'il vous plaît, m'dame! Oui, celui qu'est le plus gros, là!

À la table en formica du Dunkin Donuts, assis en face de son père qui buvait un petit café, Martin Gagnon aimait ouvrir lentement le papier kraft qui entourait le beigne en veillant à ce que rien du glaçage ne s'y colle. Ensuite, il plantait doucement les dents dans le nappage, avant de mordre la pâte qu'il faisait tourner dans sa bouche, sans la mâcher, pour que la saveur sucrée de l'érable, d'abord, l'imprègne.

— Hey, mon homme, mon café est rendu froid pis toi, t'as toujours pas fini ton beigne! Presse-toi, maman nous attend.

Son père se tournait alors immanquablement vers la fenêtre pour regarder sa Thunderbird 1963 vert amande qu'il prenait soin de garer en s'assurant de ne jamais la perdre de vue.

— Plus que cinquante-neuf paiements et elle est toute à nous!

Au retour, le reste de son beigne dans la main, Martin s'étirait sur la banquette trois places, à l'avant, pour somnoler en posant la tête contre la grande vitre, bercé par le ronronnement du huit cylindres mêlé au lancinant va-et-vient des essuie-glaces déblayant la neige sur le pare-brise.

— T'sé, Martin, en troisième, quand t'as fait l'entrée de zone pis que t'as repiqué au centre et que le gars y t'a pris la rondelle, t'as fait une grosse erreur… t'as baissé la tête! Faut jamais baisser la tête, faut toujours jouer la tête haute. Comme dans la vie. Tu comprends ce que je dis, mon homme? La tête haute, toujours la tête haute!

— Oui, papa.

Alors Martin fermait ses paupières jusqu'à ce que son père, las de parler aux essuie-glaces, finisse par allumer l'autoradio et *Love me do* jouait dans la nuit. En entrant dans la petite maison qui bordait le quatrième rang du chemin reliant Sainte-Claire à Saint-Lazare, Henri tendait à sa femme Pauline le sac de linge imprégné de sueur. Elle s'empressait de vider le chandail, les bas et les dessous dans la laveuse pour s'assurer que l'équipement soit propre, mais surtout sec pour l'entraînement ou la partie du lendemain, pendant que son fils ôtait ses souliers pour soigneusement les ranger sur le paillasson de l'entrée. Le samedi soir, un repas chaud et copieux les attendait sur la table de la salle à manger, devant la télévision noir et blanc. Sans un mot, le père et le fils regardaient en mangeant *La Soirée du hockey*.

— Pauline, tu pourrais faire quelque chose pour que la machine à laver fasse moins de bruit, on entend rien!

Jusqu'à l'âge de huit ans, à la fin de la première période, quand son père se levait pour s'installer dans l'un des deux fauteuils devant l'écran, Martin l'embrassait et allait se coucher. Sa mère l'aidait à s'endormir en lui lisant l'histoire d'un enfant qui comptait plein de buts. À dix ans, il rejoignait son père et s'asseyait dans l'autre fauteuil jusqu'au terme de la deuxième période.

— Tu me diras demain, p'pa, si Dickie Moore a compté un but à soir, en troisième?

À douze ans, alors qu'il était déjà le grand espoir de son village et s'était fait un nom dans la région, il pouvait regarder les parties du Canadien de Montréal jusqu'au bout. Au générique de fin, son père se levait pour éteindre la télévision. Le silence revenu dans le salon, il se tournait vers Martin pour lui chuchoter toujours les mêmes mots.

— Un jour, tu verras, ce sera toi, Dickie Moore!

On croit souvent que la récompense est le moteur de la passion. Alors, pour l'attiser, parce qu'on l'envisage fragile, ceux qui se doivent de montrer le chemin cherchent à la nourrir. Et c'est ainsi qu'assis à la table du Dunkin Donuts devant la Thunderbird 1963, après une *game* durant laquelle il avait compté cinq buts, Martin avait vu son père revenir du comptoir avec une grande boîte en carton. Tout sourire, il l'avait ouverte pour laisser découvrir à son fils cinq gros beignes glacés à l'érable.

— Maintenant, autant de beignes que de buts !

Parce que Martin avait des mains en or et un tir foudroyant, les boîtes de beignes étaient devenues la routine de l'après-partie. Il apprit vite à ne plus perdre de temps à les savourer, pour s'en gaver, allant même jusqu'à ne manger que le glaçage pour laisser la pâte durcir dans la poubelle au grand bonheur des rats. Et tant pis pour ses amis qui l'enviaient.

— T'es chien, Martin, t'aurais pu me le donner, tu penses qu'à toi !

— J'y peux rien si t'es poche !

La rutilante Thunderbird 1963, qui n'avait jamais connu la rouille tant elle avait été polie à la peau de chamois chaque fin de semaine, avait été vendue à un cadre de l'usine où travaillait Henri quelques mois après qu'il eut décidé de ne plus jamais parler à son fils, un triste soir de Noël. Martin l'avait appris par sa mère mais n'en avait éprouvé aucune tristesse. Des beignes glacés à l'érable, il en avait mangé jusqu'à ne plus en supporter l'odeur. Il s'était juste dit que plus jamais il n'irait en vacances sur les grandes plages d'Old Orchard, dans le Maine, des bâtons de hockey le séparant de ses cousins à l'arrière de l'auto.

— Ils sont lourds, p'pa…

— Tu vas voir les avant-bras que ça va t'faire! Comme Dickie Moore!

— Henri, tu peux arrêter de lui faire tirer des cailloux dans la mer et le laisser jouer un peu dans le sable comme les autres enfants?

❧

Martin Gagnon s'est redressé d'un coup. Il a porté le verre de vin à ses lèvres, l'a vidé d'un trait, avant de le reposer sans délicatesse sur la table basse.

— Mais qu'est-ce que je me fais chier, tabarnak!

Les pans de sa robe de chambre ont volé dans les airs quand il a foncé jusqu'au téléviseur pour saisir la télécommande. Au clic, la suite s'est emplie d'un chant de Noël interprété par la chorale de l'accueil Bonneau au meilleur de sa forme.

— Manquait plus qu'eux…

Il a passé en revue l'ensemble des chaînes jusqu'à découvrir sur l'écran un grand rideau rouge et des lumières scintillant au-dessus d'un public, robes du soir pour les femmes, smoking pour les hommes, applaudissant à tout rompre. La musique grandiloquente et annonciatrice d'un spectacle à ne pas manquer s'est tue et une voix rauque a parlé très fort.

— *Ladies and gentlemen, live from Las Vegas…
the incredible, the greatest, the unique… David
Copperfield!*

Le rideau s'est levé pour laisser découvrir le
grand et souriant magicien. Martin Gagnon a
approché un fauteuil et s'est installé à deux mètres
du téléviseur. Il a plongé la main dans la poche de
sa robe de chambre pour en sortir la petite balle
rouge. Il n'a rien raté de ces deux spectatrices mys-
térieusement disparues dans un nuage de fumée. Il
a soupiré d'ennui en voyant entrer un canard dans
une boîte de fer. Il a bâillé quand il est réapparu
dans la grosse caisse de l'orchestre. Il s'est tout de
même rapproché de l'écran pour vérifier quel était
le truc quand une femme a lévité de longues
minutes sur une simple fontaine d'eau sortant de la
scène. Il n'a pu s'empêcher de ricaner lorsque
David Copperfield a fait venir deux jeunes spectatrices et qu'après avoir deviné la couleur de leurs
dessous, il les a fait passer de l'une à l'autre.

— Je les aurais fait disparaître, moi, les culottes,
au lieu de les remettre !

Au dernier numéro, le téléspectateur attentif a
même poussé un petit cri de peur quand l'assistante
du magicien s'est fait décapiter. Au générique final,
Martin Gagnon a voulu décrocher le téléphone
pour hurler au concierge sa façon de penser.

— David Copperfield, il a pas de lapins et pas de balles rouges!

Mais il a renoncé. Il savait que l'engueulade ne mènerait à rien. Si jamais il devait avoir soif plus tard dans la nuit, il n'était pas dans son intérêt de se fâcher, plus encore, avec le concierge qui détenait les clefs du coffre dans lequel reposaient ses bouteilles de vin. Il venait de passer une heure devant la télévision à regarder David Copperfield, sans personne avec lui, un soir de Noël. Il n'avait plus qu'une seule envie, que cette effroyable soirée se termine pour l'oublier à tout jamais.

— Bon, je vais aller manger, pis un petit film de cul, et dodo!

Martin Gagnon a enlevé sa robe de chambre en la faisant glisser le long de ses épaules musclées. Nu, il a cherché le tas de vêtements fripés qu'il avait jetés à son retour du sauna. Il a retrouvé son tee-shirt au pied du divan, sa chemise sur l'accoudoir et son pantalon sous les coussins. Il est allé à la porte d'entrée saisir le sac de tissu qui y était accroché afin d'y déposer ce linge qu'il ferait laver. Au passage, il a remarqué que l'une des portes coulissantes du placard à manteau était mal fermée. Tout en la poussant, son regard a balayé les cadeaux encore enveloppés, rangés là par Charles-David. Il n'a pas eu le temps de repenser à sa débâcle de l'Île-des-Sœurs qu'une petite chose l'a intrigué. Il a fait glisser la porte pour l'ouvrir complètement et il s'est approché du premier sac. Plusieurs des paquets avaient été entrouverts et maladroitement refermés. Il a empoigné un autre sac. Là-aussi, les cadeaux avaient été manipulés. Intrigué, il s'est relevé et a refermé la porte du placard. Près du divan, il a récupéré son slip, derrière le dossier, une chaussette. Ne trouvant pas la seconde, il s'est agenouillé, pensant la découvrir sous le divan. Il a glissé sa main sous le meuble.

— C'est quoi, ça ?

Martin Gagnon, nu, agenouillé, tenait dans sa main une casquette aux couleurs du Canadien de Montréal. Elle était usée. Il l'a retournée, aucun nom à l'intérieur. Il a essayé de l'enfiler. Elle était bien trop étroite pour lui. Il a longuement observé le petit couvre-chef en le tournant et le retournant.

— À quoi tu joues avec moi ?

QUI ÇA PEUT BIEN ÊTRE ?

Devant l'hôtel, les flocons tombaient toujours sur la rue déserte. Seules quelques taches jaunes se reflétaient sur la neige au gré des réverbères. Martin Gagnon a descendu les marches pour s'arrêter au bord du trottoir. Au loin, il a vu la borne de taxi. Il n'y en avait qu'un. Il a levé le bras et a hurlé ce que l'on crie toujours dans ces moments-là :

— Hep, taxi !

La Chevrolet Caprice blanche a démarré pour lentement venir jusqu'à lui. Le client n'a pas été surpris de reconnaitre Pierre-Léon au volant. En fait, il le souhaitait. Ravi, il s'est s'installé sur la banquette arrière. En refermant la portière, il a pris soin de ne pas faire claquer le battant de tôle pour que personne ne l'entende.

— Je vis un véritable cauchemar. Il m'arrive des choses incroyables. Je me demande même si cet hôtel n'est pas hanté.

— Voulez-vous dire que vous avez vu des fantômes ?

— Genre…

Pierre-Léon a constaté dans le rétroviseur que son meilleur client de la nuit n'était pas, quant à lui, à son meilleur. Il a allumé le taximètre et mis le levier de vitesses sur *drive*. Le vrombissement du gros huit cylindres et les pneus glissant sur la neige ont, un instant, couvert le silence avant que les trottoirs, vides et blancs, ne défilent.

— Bon, je vous amène où ?

— Faut que je parle pis j'ai faim. Viens manger avec moi, je t'invite.

— C'est vraiment votre nuit de chance, ma pause est dans quinze minutes.

— Pour la chance, on en reparlera… Mais bon, prends la rue Sherbrooke vers l'est. Je connais un coin où on pourra parler tranquillement. Mais surtout, tu gardes ça pour toi. C'est un secret.

— Tout ce qui se dit dans le taxi reste dans le taxi.

❦

Trente minutes plus tard, la Chevrolet Caprice blanche éteignait ses phares dans un parking devant une des raffineries de l'est de la ville. Des pipelines de différents diamètres, plantés dans d'immenses citernes rouillées illuminées de petites ampoules blanches, jaunes et rouges, donnaient à ce décor des airs de station spatiale abandonnée. Les deux hommes sont sortis de l'automobile et ont marché vers une petite gargote aux lattes de bois peintes en blanc sur laquelle était écrit en lettres rouges « Chez Ginette et Réjean ».

— En face, ils font les trois huit, c'est pour ça que c'est ouvert vingt-quatre heures sur vingt-quatre.

Durant le trajet, Martin Gagnon avait dévoilé comment lui, un joueur étoile du Canadien de Montréal, avait pu aboutir ici après une honteuse défaite à domicile au Forum dans un endroit aussi minable, à quelques heures d'un décollage pour Boston où une nouvelle partie l'attendait le soir même.

— J'étais tellement saoul que je me souvenais même plus du numéro sur mon chandail !

Arrêté par la police au coin des rues Sherbrooke et D'Iberville, le grand joueur, qui jurait avoir vu un caribou traverser la rue pour expliquer pourquoi sa voiture se trouvait dans le jardin du presbytère de l'église, avait été escorté, sirène hurlante, jusque chez Ginette et Réjean par les forces de l'ordre qui, avant tout, restaient des partisans du Canadien de Montréal prêts à n'importe quel écart aux lois pour deux points au classement.

—Si j'mange pas quelque chose dans les cinq minutes, je vais pas être capable de monter dans l'avion pour Boston et compter des buts à soir.

Ginette avait accueilli dans ses bras musclés l'homme qui titubait pour l'asseoir devant la friteuse. Réjean, son chétif mari, après avoir servi un demi-poulet, des frites et de la bière aux policiers, était arrivé avec un verre d'eau glacé et l'avait déversé sur le crâne de Martin Gagnon avant de lui servir un café salé. Le champion avait couru vomir dans les toilettes. Ragaillardi, il avait engouffré une poutine et payé d'une photo dédicacée que Ginette s'était empressée d'accrocher au-dessus de la friteuse.

—Ben tu sais quoi, Pierre-Léon, ce soir-là à Boston, j'ai eu deux buts et deux passes!

Les photos dédicacées s'étaient ajoutées aux photos dédicacées au-dessus de la friteuse, jusqu'à en faire une sorte d'autel à la gloire, toujours bien trop arrosée, de Martin Gagnon. La petite gargote était devenue son refuge, une sorte de seconde famille qu'il ne fréquentait que saoul, mais sur laquelle il pouvait toujours compter.

—Ginette et Réjean, ils m'ont traité comme leur fils, pis ils ont jamais rien dit à personne de ce que je faisais de mal!

Georges D'Amour, compagnon de tant de nuits, avait également droit aux remèdes miracles de l'endroit, même si la bonté de Ginette avait ses limites.

— Il vient de me manger un troisième poulet, pis ça fait trente minutes qu'il est enfermé dans les toilettes avec les deux pitounes que vous avez ramenées. Si ça continue, les gars d'en face, ils vont devoir aller à la job le ventre vide mais la vessie pleine !

Martin Gagnon a tourné la poignée tachée d'huile noire et il est entré, suivi de Pierre-Léon. Dans la petite salle, rien n'avait changé. Les hommes en bleu de travail souillé de pétrole dévoraient leur grande assiette entre deux gorgées de bière. Aux trois machines à sous, autant d'ouvriers allaient peut-être perdre leur nuit de travail. Aux dards, personne ne jouait, mais à la friteuse, il y avait toujours Ginette. La vieille dame aux cheveux gris a esquissé une simple moue à la vue de son ancien client puis a continué de remplir de relish, de moutarde, de chou et d'oignons hachés, trois hot-dogs *all dressed*, « Les meilleurs en ville », proclamait le panneau au-dessus de la caisse.

— Ginette, c'est moi, Martin ! Tu me replaces pas ?
— Hey, un revenant…

Déstabilisé par le flagrant manque d'entrain de la patronne et quelque peu gêné devant Pierre-Léon à qui il avait annoncé des effusions sans fin, et peut-être même des larmes de joie, Martin Gagnon a levé les yeux au-dessus de la friteuse.

— Ben elles sont où mes photos?

— Elles étaient devenues pleines de graisse pis quand t'as été échangé à Winnipeg, les clients s'amusaient à lancer les fléchettes dessus. Réjean, il était tanné de monter les décrocher. Pis il commençait déjà à fatiguer.

— Ah?... C'est vrai ça, il est où Réjean? Je le vois pas.

— Il est mort. Il a fait une crise cardiaque un soir en servant des rondelles d'oignon à la table là-bas.

— Oh… Je suis désolé, Ginette.

— C'est ça, t'es désolé.

— Y a quelque chose que je peux faire pour toi?

— Ben si t'as prévu de manger, va t'asseoir. Dans cinq minutes, y en a qui vont finir leur *shift* en face, pis t'auras plus de place. En attendant, tiens, v'là le journal.

Ginette, sourire au coin des lèvres, a tendu le quotidien en veillant à ce que la photo de Georges D'Amour avec Julie, encadrant leurs quatre filles au pied d'un immense sapin de Noël, soit bien en face de Martin Gagnon.

— T'as vu, lui, au moins, il a compris…

Pierre-Léon observait du coin de l'œil Martin Gagnon qui mastiquait sans enthousiasme une rondelle d'oignon, plat choisi en hommage à Réjean. L'ex-roi des lieux avait tenu à s'installer sur la chaise qui tournait le dos à la salle. Ainsi, le chauffeur de taxi qui avait opté pour la poutine n'eut pas à lui dire que personne ne le regardait.

— Vous m'avez parlé de fantômes tout à l'heure dans la voiture.

— Hein, quoi? Moi, j'ai parlé de fantômes?

— En sortant de l'hôtel, souvenez-vous…

— Tu promets de pas te moquer de moi?

— La moquerie est le fusil de ceux qui ne comprennent pas. Moi, je ne me moque jamais parce que j'essaye toujours de comprendre.

Martin Gagnon a sorti la balle rouge de la poche de son cachemire pour la placer devant le nez de Pierre-Léon, ce qui a eu pour effet de piquer la curiosité de Ginette, qui en a même arrêté de beurrer des toasts. Au rythme des hochements de tête du vieil Haïtien, celui dont la nuit était un enfer a gesticulé ses malheurs en ne pouvant s'empêcher de parler de plus en plus fort. Évidemment, dans le restaurant, tout le monde s'est retourné pour écouter. Quant à Ginette, maintenant inquiète, elle a saisi son téléphone et s'est retournée pour que personne ne l'entende.

— J'étais tout nu dans le sauna, perdu au milieu de la fumée. Tu sais, moi j'ai jamais été seul là-dedans, alors bien sûr j'ai eu de drôles d'idées… Tout d'un coup, j'entends une voix me parler. Je te jure, ça m'est jamais arrivé d'entendre une voix dans un sauna ! Et tu sais quoi ? C'est ta voix que j'ai entendue. Oui, la tienne ! Et tu me disais, il y a toujours, quelque part, quelqu'un qui vous aime. J'étais comme en transe à t'écouter. Alors je suis sorti tout nu et j'ai couru dans les couloirs de l'hôtel jusqu'à ce que…

— Wow, des cochonneries t'en as assez faites icitte avec des filles. Si t'as viré de bord, c'est ton problème, mais pas la peine d'en faire profiter toute la salle !

Horrifié de ce qu'il venait de comprendre, Martin Gagnon a souri à la maîtresse des lieux.

— Hey, ça va pas de dire des niaiseries de même ? Tu me connais, non ?

Ginette s'est contentée de lui tourner le dos pour mettre à frire des ailes de poulet. Dans la salle, les hommes en bleu de travail dévisageaient le client bavard. Quand celui-ci les a défiés du regard, un à un, certains ont baissé les yeux, mais d'autres ont ricané. Il a serré les poings, respiré un grand coup, englouti une autre rondelle d'oignon qu'il a mâchée avec hargne. Ensuite, il a chuchoté.

— Donc là, je rentre dans ma chambre. Je passe un petit coup de fil…

— À qui ?

Martin Gagnon s'est frotté le menton en fixant Pierre-Léon. Ce n'était pas qu'il ne voulait pas le lui dire, mais c'était surtout qu'il ne voulait pas en parler. Il aurait dû encore retourner des années en arrière, là où il était déjà allé, sans le vouloir, trop de fois ce soir.

— Tu te souviens des trois bouteilles qu'on est allé acheter ensemble à la Maison des vins? Ben, ces salauds à l'hôtel, ils me les ont confisquées et ils ont même pris le tire-bouchon de ma chambre!

— Je pense qu'ils ne veulent pas que vous buviez.

— Ah oui, c'est clair! Mais on est quand même dans un pays libre, non?

— Ne vous dispersez pas, continuez votre histoire. Vous veniez de passer un coup de fil.

— Pïs là, j'ai voulu boire un verre. J'appelle la réception pour demander et le concierge refuse. Je pète une coche, j'ouvre la porte et je tombe sur un enfant qui fait tomber une balle rouge en me voyant!

— Un enfant?

— Oui, un enfant! J'ai pas eu le temps de lui parler qu'il a disparu. Hop là, plus personne!

— Il a disparu comment?

— Ben, en courant, tiens!

— Il avait quel âge?

107

— Ben, je le sais-tu ? Je dirais… euh… sept… Non ! peut-être onze… ou treize, même.

— Un enfant de sept ans ne ressemble pas vraiment à un enfant de treize ans.

— Mais j'y connais rien, moi, en enfant ! J'en ai pas, j'en veux pas. Les seuls que je vois, ce sont les petits quêteux d'autographes. Je les regarde jamais dans les yeux sinon ils m'en demandent un autre, pis un autre, pis ils veulent une photo, pis ils veulent me parler… pis ils me racontent le dernier but qu'ils ont compté… pis là les parents débarquent pour me dire à quel âge il a fait son premier *slapshot*… Je m'en crisse-tu, moi, de savoir quand il a fait son premier *slapshot* ?

— Ne dites pas des choses comme ça. Un enfant, c'est la plus belle chose au monde…

Absorbé par son propre malheur, Martin Gagnon n'a pas pris le temps de déceler la tristesse dans la voix de Pierre-Léon,

— J'en étais où ?

— Votre enfant a disparu dans le couloir.

— Ah oui… Et là l'enfer a commencé. Enfin, non, je devrais dire les choses bizarres… Rendu en bas, personne m'a cru. Alors là, même moi je savais plus si je l'avais vu ou pas.

Pierre-Léon observait Martin Gagnon se mettre en bouche les rondelles d'oignon pour les déglutir sans même prendre le temps de les mastiquer.

— Je remonte dans ma chambre et là, je trouve les cadeaux pour les filles de Georges presque tous ouverts. Et sur quoi je tombe après?

C'était maintenant la petite casquette du Canadien que Martin Gagnon agitait devant le visage de Pierre-Léon qui l'a prise en main pour l'observer avec attention.

— Et je te parle même pas de David Copperfield!

— Non, pas la peine.

Martin Gagnon a arraché des mains de Pierre-Léon la petite casquette du Canadien de Montréal.

— Voilà, j'aurais jamais dû te parler, tu ne me crois pas, toi non plus.

— Mais bien entendu que je vous crois!

— Non, tu ne me crois pas, comme tout le monde!

— Mais non, c'est juste que je n'avais pas le goût de parler de David Copperfield pour rester concentré sur cet enfant.

Et là, Martin Gagnon n'a pu s'empêcher de parler de nouveau très fort. Les clients ont cessé de manger pour se tourner vers les deux hommes et Ginette en a lâché son quart de poulet qui n'attendait que les frites.

— Tu comprends rien! Tu veux pas que je te parle de David Copperfield alors que David

Copperfield est au cœur du mystère! Ça t'est jamais passé par la tête de savoir s'il avait des lapins? Arrête de me regarder de même, je suis sérieux! Moi, par exemple, je sais si David Copperfield il a des lapins ou pas. Et mine de rien, dans le monde entier je suis peut-être un des seuls à le savoir! Et tu sais quoi? Ben, il a pas de balle rouge non plus parce que…

— Il est temps que tu partes, Lagagne, tu les fais même plus rire, tu leur fais peur. Mais pire que ça, tu les écœures!

Martin Gagnon a fait mine de ne pas avoir entendu, se contentant de se mettre en bouche une rondelle d'oignon alors que son front laissait perler quelques gouttes de sueur. Quand tous les hommes en bleu se sont levés pour soutenir leur cuisinière bien-aimée, Pierre-Léon a dit ce que tout bon ami dirait à cet instant.

— Je pense qu'il vaut mieux partir.

— Ginette, encore cinq minutes, on n'a pas fini de parler.

— Je t'ai dit qu'il faut libérer la table, Lagagne! Y a des gars qui attendent pis ils ont que trente minutes avant de retourner travailler.

— Qu'est-ce qui se passe, Ginette?

— Ben il se passe que t'as mangé et tu t'en vas. Comme tout le monde ici.

— Pourquoi t'es de même avec moi?

Pire que la peine, c'est la haine qu'on peut lire dans un regard qui fait mal. Mais pire que la haine, il y a le mépris. Martin Gagnon n'a pu soutenir plus longtemps le regard de la femme. Il a enfilé son cachemire puis a sorti de sa poche sa liasse de billets.

— Pas la peine, c'est payé.

Comme s'il sortait d'un cauchemar, le visage de Martin Gagnon a repris vie. Radieux de croire Ginette revenue à elle, il a planté sa main dans la poche intérieure de son manteau pour sortir délicatement d'une enveloppe une photo couleur le représentant en maillot de bain, allongé sur des caisses de Budweiser, entourée de cinq jolies filles en monobikini rouge dont les mamelons de leur généreuse poitrine étaient cachés par des capsules de bouteilles de bière.

— Regarde, Ginette, j'ai une surprise pour toi. C'est un *collector*. Si tu la mets derrière un cadre en verre, les fléchettes pourront pas l'abîmer. Elle est unique parce que….

— Perds pas ton temps à écrire des niaiseries sur ta face. C'est pas moi qu'a payé.

— Ben, c'est qui ?

— Lui, là-bas.

— Remercie-le pour moi.

— Fais-le toi-même !

Celui qui naguère se permettait tout n'a même pas osé pester devant Ginette. Il allait devoir parler à ce partisan trop heureux de raconter à toute sa famille, ses amis, ses voisins et ses collègues qu'il avait, une nuit, offert un repas à Martin Gagnon en personne. Alors il s'est rapidement contemplé sur les caisses de bière, il a sorti un stylo et a foncé vers l'homme qui se tenait assis au bar, col de manteau relevé, une casquette profondément enfoncée sur le crâne.

— Je suis désolé, j'aurais bien jasé un peu avec toi, mais je suis attendu. Merci pour le repas, c'est quoi ton nom?

Martin Gagnon a vite gribouillé «Amitiés sportives!» juste sous les tétons des filles. Il a signé en y ajoutant «69», puis a placé la pointe du stylo au-dessus de la petite rousse, celle aux plus gros seins, avant de se tourner vers l'homme.

— Alors, c'est quoi ton nom?

— Michel Mercier…

Hors de son contrôle, l'encre du stylo a d'abord barbouillé le visage de la petit rousse pour tacher la culotte de la petite brune qui la tenait par l'épaule.

— Mais qu'est-ce que tu fais là?

— Ce que j'ai toujours fait… payer ta note! Qu'est-ce tu crois, Lagagne? Que Ginette et Réjean qui n'ont jamais gagné en un an ce que tu gagnais en un jour avaient les moyens de te nourrir presque tous les soirs avec tes invités ? Tes photos dédicacées, ils les mettaient aux murs pour que tu sois content et que tu reviennes. Comme ça, je savais où t'étais et j'avais qu'à leur envoyer un chèque à la fin du mois.

Martin Gagnon a eu besoin de s'asseoir. Le vieil homme, sans le regarder, a continué d'une voix pleine de rage.

— Ce soir, quand elle t'a vu arriver et raconter tes saloperies dans le sauna, elle a paniqué et elle m'a appelé. Comme elle a toujours fait.

Les doigts de Martin Gagnon ont lâché le stylo qui, après avoir roulé sur le comptoir, a chuté au sol pour s'arrêter sous la jambe droite de Ginette qui égouttait des pilons de poulet sans rien perdre de la conversation. Pierre-Léon a posé la main sur l'épaule de son client, qui maintenant tremblait.

— Je vais passer un coup de fil à ma femme et je vous attends dans la voiture.

Martin Gagnon a juste hoché la tête, puis il a dévisagé l'homme aux traits tirés dont les prunelles, bleu délavé, étaient cerclées de vaisseaux rougeâtres qui se perdaient dans le jaune de l'œil. Il l'a observé saisir l'anse du pichet de bière pour se

servir un autre verre. En voulant le vider rapidement, la mousse a débordé avant même qu'il ne
soit plein. Sans un mot et sans reproche, Ginette a
vite passé une guenille pour nettoyer le formica usé
avant de s'en retourner à la caisse.

— Tu la portes partout pour être certain que tous
les minables puissent baver en la voyant, hein?

Martin Gagnon a immédiatement mis la main
dans sa poche pour dissimuler sa rutilante
chevalière.

— Tu sais que j'ai vendu la mienne?... C'est un
vendeur chez Chevrolet qui me l'a achetée... Il a
fait une bonne affaire... Et tu sais pas ce que j'ai
fait avec l'argent?

L'homme a porté la mousse a ses lèvres pour vite
avaler trois bruyantes gorgées de bière. Martin
Gagnon n'a pu soutenir le regard vitreux. Non qu'il
lui faisait peur, mais parce qu'une nouvelle fois son
passé, telle une rondelle frappant le poteau, lui
revenait en plein face.

— Alors, Lagagne, tu m'demandes pas de mes
nouvelles?

Ce qu'était devenu Michel Mercier, ancien
entraîneur en chef du Canadien de Montréal, tout
le monde le savait dans la ligue. Sitôt Gagnon envoyé
vers les bars de Winnipeg après sa folle nuit au Saint-
Régis, le président du grand club avait congédié le

coach. Aucune autre équipe n'en avait voulu parce qu'il avait désormais la réputation de ne pas contrôler ses joueurs en dehors de la glace. Véritable paria, il avait dû fuir en Europe pour prendre en main la destinée du Hockey-Club d'Innsbruck dans le Tyrol autrichien, au pied des Alpes.

—*Laïlo, laïolo, ouh! ouh! Laïlo, laïolo, ouh! ouh!*

Dans cette contrée lointaine, il y a beaucoup de hockeyeurs, mais aussi de grands chanteurs. Marie, l'épouse de l'entraîneur qui avait dû le suivre contre son gré, s'ennuyait ferme à regarder paître les vaches dans la vallée. Elle s'est un jour amourachée de la chanson tyrolienne, et plus tard, du chef de la chorale de la ville avec qui elle est partie vivre dans la montagne.

—*Laïlo, laïolo, ouh! ouh! Laïlo, laïolo, ouh! ouh!*

Michel Mercier a tout de même voulu honorer son contrat, pensant redorer son blason pour un retour au pays, par la grande porte, et reconquérir, orné de gloire, le cœur de sa belle. Mais la dépression l'a vite gagné et monsieur Schultz, le président du Hockey-Club d'Innsbruck, n'a eu d'autre choix que de le congédier car, devenu si triste, l'homme au cœur brisé s'était lui aussi mis à la musique, à la guitare, mais il faisait pleurer les joueurs dans la chambre avant les parties.

— *Elle n'a qu'à ouvrir l'espace de ses bras, pour tout reconstruire, pour tout reconstruire… Je l'aime à mourir… Je l'aime à mourir…*

Revenu au Québec, sans femme ni guitare ni emploi, Michel Mercier n'était plus rien. Même plus un souvenir.

— Tout ça à cause de toi, Lagagne! Je t'ai toujours tout laissé passer parce que tu comptais des buts. Mais là, on venait d'en perdre quatre de suite. Tu faisais rien qui vaille. Tes frasques nocturnes devenaient de plus en plus difficiles à cacher. Fallait distribuer des places aux policiers qui oubliaient de te mettre des *tickets*, aux patrons de bar chez qui t'avais fait du grabuge avant de partir sans payer, aux filles qui venaient se plaindre de tes mains baladeuses. Pis quand y avait plus de places au Forum, ben fallait que je les fasse taire avec mon propre cash!

La bouffée chaude qui a soudainement envahi les entrailles de Martin Gagnon pour aussitôt lui nouer la gorge n'a pas été moins brulante que celle qu'il avait ressentie lorsque sa voisine Lucie, plus vieille de quatre ans et si populaire dans le quartier pour frencher les garçons en y mettant la langue, lui avait révélé que le père Noël n'existait pas.

— Tu croyais quand même pas qu'un but de hockey, ça passe par une cheminée? Pis regarde, t'as même pas de cheminée chez vous!

❧

Quand l'irréel bascule pour laisser place au réel, tout s'illumine pour devenir soudain plus gris. Ce qu'on ne souhaite s'expliquer disparaît au profit de la vérité, maîtresse de la réalité.

— Je suis désolé, Michel, vraiment... Je m'excuse.

— Tes parents t'ont jamais appris qu'on s'excuse pas tout seul mais que des excuses, ça se demande?

— Je te demande de m'excuser.

— Je t'excuserai jamais parce que je te pardonnerai jamais! Jamais, je te dis! C'était ma vie, Lagagne, toute ma vie, mon rêve... être derrière le banc au Forum et diriger le Canadien! Pis ma vie maintenant, c'est pas d'être derrière un banc à commander des joueurs, mais derrière un bar, à commander des verres!

Sans un mot, Martin Gagnon a déchiré la photo, puis il a salué Ginette qui n'a pas levé les yeux de sa caisse. En marchant vers la porte, il a senti une main le retenir par le poignet. Michel Mercier a collé son visage au sien pour lui chuchoter à l'oreille ses effluves de bière.

— Tu te souviens du dernier party dans cette chambre d'hôtel quand le président est venu te cueillir aux portes de l'ascenseur?

— Pas vraiment...

117

— Je serais toi, j'essayerais de faire un effort, parce que tu sais, les filles d'un soir, ben c'est comme une saison au hockey, faut attendre neuf mois pour connaître le résultat final !

❧

Les ampoules qui illuminaient les pipelines et les réservoirs des raffineries de l'est de la ville étaient déjà bien loin. Comme un boxeur retournant dans son coin au gong du neuvième round, groggy d'avoir reçu les coups d'un adversaire trop fort, mais surtout sous-estimé, Martin Gagnon était sorti de chez Ginette en titubant pour vite s'affaler à l'arrière du taxi, sauf qu'il n'y avait aucun *corner man* pour lui faire du vent avec une serviette. Alors, il a ouvert la fenêtre pour laisser passer un mince filet d'air glacé. Il lui fallait absolument reprendre ses esprits même s'il ne comptait pas retourner au combat, mis K.-O., non au compte de dix, mais au compte de neuf.

— Février… mars… avril… mai… juin… juillet… août… septembre… octobre !

Dans le rétroviseur, Pierre-Léon a observé son client qui venait de chuchoter ses premiers mots depuis le départ.

— Octobre…

Alors qu'à la gauche de l'auto, filant bon train rue Sherbrooke, la tour penchée du Stade olympique est apparue, Martin Gagnon s'est gratté le crâne, puis s'est pris la tête à deux mains en battant du pied, puis à une main sans battre du pied, mais rien n'y a fait. Ça ne lui revenait pas.

— J'ai tellement fait d'équipes que je sais plus si j'ai été échangé par Montréal en quatre-vingt ou quatre-vingt-un?

— Quatre-vingt-un! Comment ne pas le savoir? Toute la journée, ils n'ont parlé que de ça à la radio.

La vedette du jour a levé le pouce de la main gauche sur lequel il a posé son index droit, puis il a commencé à compter lentement sur ses doigts pour être certain de ne pas en rater un. Cette fois, il n'est pas allé jusqu'à neuf.

— Sept ans...

Il en avait vu dans sa carrière des hommes, des vrais, des durs, enfin des hockeyeurs, si bouillants sur la glace, fondre dans la chaleur du vestiaire à hurler, l'air con.

— Hey, les *boys* vous savez pas quoi? Je vais être papa!

En début de carrière, Martin Gagnon ricanait dans son protège-dents à l'annonciation grandiloquente, avant que la thèse de Cynthia ne se rappelle chaque mois à son chéquier. Depuis, il prenait soin, pour conjurer le sort, de se lever le premier pour féliciter son coéquipier qui brandissait comme un trophée du meilleur marqueur l'échographie en noir et blanc.

— Félicitations, mon homme, pas croyable comme il te ressemble !

— Merci Lagagne ! J'ai l'impression que ma vie ne sera plus jamais comme avant.

Affalé sur la banquette, Martin Gagnon ne ressentait rien parce qu'il ne voulait rien ressentir. Un enfant change la vie, car la vie qui vient redessine à tout jamais la vie qui va. S'y plier, c'est concevoir que deux êtres qui s'additionnent vont se multiplier pour un autre, en y ajoutant une chambre, une voiture plus grande, une baby-sitter, des cris, des pleurs et des caprices. Alors, ceux qui pensent que leur vie solitaire est déjà bien assez belle, et qui ont peur de la voir disparaître jusqu'à s'oublier, refusent d'y penser.

— Pis, moi, je fais quoi pendant qu'il joue à la balançoire dans le parc ?

Ne plus se souvenir d'une soirée d'ivresse, huit ans plus tôt, ne vous rend responsable de rien puisque même si le corps y était, la mémoire perdue confirme que vous n'y étiez pas, ou alors, ça n'était plus vraiment vous.

— Monsieur Gagnon ?

Si la mère n'existe pas, car on l'a oubliée, on en devient le père naturel de rien. Il suffit de rester la tête sous terre, de ne pas vouloir voir et surtout de le nier, jusqu'à ruer.

— Monsieur Gagnon?

Pas la peine de chercher à savoir si une mère existe si on ne souhaite pas être père. C'est injuste que tant d'années plus tard, on vous menace, dans une gargotte minable de l'est de la ville, d'une responsabilité que vous aviez tout fait pour ne jamais endosser. Ce que l'on vit, on doit le vouloir, mais jamais le subir.

— Monsieur Gagnon?

Il suffira maintenant d'avancer en prenant soin de fermer les yeux et de ne pas écouter, quitte à se laisser bringuebaler et ballotter, sans lutter, telle une poupée de chiffon, au fil des mots qu'on ne veut point entendre, auxquels on ne répondra pas.

— Réveillez-vous!

Martin Gagnon a ouvert les yeux pour voir l'ampoule du plafonnier de l'auto éclairer le visage de Pierre-Léon qui, agenouillé sur son siège, lui tenait l'épaule.

— Excusez-moi de vous avoir secoué un peu fort, mais vous ronfliez en gémissant des mots bizarres.

À travers la fenêtre du taxi, le client a aperçu l'entrée éclairée du Saint-Régis. Rassuré, il a vu

Charles-David dévaler les marches quatre à quatre avec un parapluie ouvert en main.

— S'cuse, je crois que j'ai fait un cauchemar.

Il a plongé la main dans la poche qui cachait sa liasse de billets et s'est penché sur le côté pour voir le taximètre qui indiquait onze dollars. Il a jeté deux billets de vingt sur la banquette avant.

— Garde la monnaie!

— C'est beaucoup trop, vous m'avez déjà invité à souper.

— Ben justement, j'aurais préféré ne jamais t'amener là. C'est pour me faire pardonner.

Martin Gagnon n'a pas eu le temps de saisir la poignée de la portière que Charles-David l'avait déjà ouverte en prenant soin de placer le parapluie à l'endroit même où la tête de son hôte apparaîtrait. Pierre-Léon, après avoir fini de ranger soigneuse-ment ses deux billets dans le coffre à gants, a saisi le bras du client, qui avait déjà un pied sur le macadam enneigé, prêt à s'enfuir.

— À propos de votre enfant...

— Quoi, mon enfant?

Même Charles-David a sursauté, manquant d'en lâcher le parapluie, tant Martin Gagnon avait hurlé fort, le regard empli de peur, voire même de dégoût.

— J'ai pas d'enfant, moi! Non!

— J'ai pas dit que vous aviez un enfant, je parlais juste de celui que vous avez vu dans l'hôtel avec la balle rouge. Vous vous souvenez?

— Non! M'en parle plus, j'ai dû rêver, comme quand je dormais y a cinq minutes.

Pierre-Léon s'est fendu d'un petit sourire tout en toisant Martin Gagnon. Jusqu'à l'inquiéter.

— Qu'est-ce que t'as à me regarder de même?

— Je ne crois pas que vous ayez rêvé cet enfant.

— Qu'est-ce que tu veux dire?

Le chauffeur a cessé de sourire, puis il a pris un air grave et une grande respiration, avant de chuchoter.

— C'est moi qui l'ai amené à l'hôtel…

~

Martin Gagnon a monté si vite les marches menant à la grande porte d'entrée que Charles-David n'a jamais pu le couvrir de son parapluie.

— Tu vas voir le concierge, je vais lui faire bouffer les clefs des chambres une par une et crois-moi qu'il va en passer du temps demain matin à la toilette à repenser à David Copperfield et ses lapins pendant que ça fera gling-gling-gling sur la faïence!

Charles-David a bien tenté de rattraper l'homme en furie afin de lui ouvrir la lourde porte d'entrée avant qu'il ne le fasse, sacrilège pour tout palace qui veut conserver ses cinq étoiles, mais il est arrivé trop tard. Avant qu'il n'ait le temps de refermer le parapluie, la porte s'est rabattue sur lui. Le jeune groom s'est alors retrouvé devant Martin Gagnon qui venait de ressortir. Il n'a pas eu d'autre choix que de redéployer le parapluie pour partir à la poursuite de son client qui était déjà en bas des marches.

— Faut que je réfléchisse !

Les bras croisés dans son manteau noir dont les pans virevoltaient à chaque demi-tour, Martin Gagnon s'est mis à marcher de long en large sur le trottoir, suivi de Charles-David qui tenait le parapluie au-dessus de sa tête tout en chassant du bout des doigts les rares flocons qui se posaient sur le cachemire.

— Je sais que c'est ta job, *kid*, mais là, de sentir le parapluie au-dessus de ma tête, puis toi qui me tripotes le dos en me soufflant dans la nuque, ça me déconcentre. Prends pas ça personnel, mais faut que tu me laisses penser.

Décontenancé, Charles-David est allé se placer au pied des marches et, penaud, a tenté de retrouver dans les cours suivis à l'École supérieure d'hôtellerie quelle leçon avait expliqué l'attitude à adopter en pareilles circonstances. Après réflexion, considérant qu'aucun client ne pouvait être moins bien loti qu'un membre du personnel, une devise sacrée pour laquelle il se souvenait avoir obtenu un A+ en première année, il a décidé de refermer le parapluie et d'attendre.

Pendant que les flocons s'entassaient sur sa casquette, il a suivi des yeux son client qui, après une trentaine de va-et-vient effectués dans une progressive accélération, venait de poser son front sur le lampadaire glacé, comme s'il voulait le refroidir après une surchauffe due à une intense réflexion.

— Ça va, monsieur... euh, enfin, Lagagne?

Charles-David ne l'aurait pas juré devant Dieu, mais il a bien cru entendre un « pschitt » lorsque Martin Gagnon a décollé son front du lampadaire.

— Tu vois, Charles-David, des fois dans la vie, faut pas céder à la colère à chaud. C'est souvent mieux de réfléchir avant de faire quelque chose que tu pourrais regretter.

— C'est toujours ce que me dit mon père.

— Il a bien raison.

— Je gage que votre père, il vous le disait aussi?

— Non, il me disait pas ça, mon père.

— Il vous disait quoi, alors?

— Plein d'autres choses mais pas ça. Tu sais, moi, fallait toujours que je sois crinqué au max. Pis il savait y faire. Bon, allez, on y va!

Martin Gagnon a, cette fois, gravi lentement les marches, une à une. Quand, sur le perron, il a senti la main du jeune homme lui épousseter la neige amoncelée sur son manteau, il s'est arrêté afin que le groom puisse accomplir sa tâche.

— C'est gentil, sinon le concierge aurait pu me donner un avertissement. Je veux pas en dire du mal, mais, lui, il est vraiment règlement-règlement. Pis il répète tout au directeur. Dites-le à personne, mais c'est comme ça qu'il a eu sa promotion. Tout le monde le déteste, ici.

C'était exactement à cette conclusion qu'en était arrivé Martin Gagnon grâce à son chaud et froid sur le lampadaire. Plutôt que de faire avaler les clefs des chambres à Alexandre, il valait mieux qu'il ne sache rien de l'étrange visite de cet enfant. Lorsqu'on ne le sait pas, on ne le répète pas. De plus, il n'y avait pas grand-chose à savoir et pour être bien franc, Martin Gagnon espérait qu'il n'y ait vraiment rien à savoir. Le mieux, pour éviter le pire, était de faire comme si rien ne s'était passé. Et tant pis pour le concierge qui n'aurait rien à raconter au directeur. Satisfait de sa réflexion, il a glissé un billet de vingt dollars dans la poche de la veste du jeune groom.

— Bon, je vais aller me coucher. Je compte sur toi pour que personne me dérange. Et si on me demande, je suis pas là. Pour personne, c'est compris ?

Charles-David a opiné puis a poussé la grande porte du Saint-Régis. Dans le hall, Martin Gagnon a enlevé son manteau qu'il a plié en deux pour le poser sur son avant-bras et s'est dirigé vers le comptoir derrière lequel se tenait, de dos, le concierge, bien agité au téléphone.

— Si ça vous amuse, moi ça ne m'amuse pas du tout. C'est la huitième fois que vous m'appelez, alors je vous le dis, cette fois, je ne raccrocherai pas. On peut y rester des heures, j'ai tout mon temps. Quand on n'a qu'un seul client, on n'a que lui à servir, alors vous pouvez continuer à rien dire, j'en ai rien à faire. Mais franchement, je ne comprends pas qu'à votre âge ça vous fasse encore rire. Dites-moi, vous vous prenez pour...

— Ma clef, s'il vous plaît!

Le concierge a sursauté et il a éloigné le combiné de son oreille pour fixer Martin Gagnon, incrédule. À la vue de son client impatient, il a eu besoin de s'asseoir.

— Vous êtes là, vous?

— Je crois bien que oui.

Alexandre a reposé le combiné sur l'appareil. Il s'est levé pour décrocher la clef, mais il ne l'a pas tendue.

— Misère, on n'arrête pas de m'appeler de votre chambre... Mais si c'est pas vous... qui ça peut bien être?

Y A PLUS QUE NOUS DEUX...

Toc toc toc !

— Monsieur Gagnon, ouvrez ! Vous m'avez demandé cinq minutes pour aller en paix à la toilette, et croyez-moi je le respecte, mais ça fait maintenant dix minutes que je poireaute. Faudrait quand même pas exagérer.

À la porte, Alexandre, le concierge, faisait le siège de la 919. Il a regardé une nouvelle fois sa montre et il a frappé plus fort encore.

Toc toc toc !

— J'ai laissé Charles-David en bas pour me remplacer, mais il n'a aucune expérience. Si une urgence devait survenir, nous pourrions être dans le trouble.

Toc toc toc !

— Vous ne pouvez tout de même pas réquisitionner l'ensemble du personnel pour vous tout seul ! Si vous ne m'ouvrez pas, je vais devoir faire un rapport au directeur et je ne pourrai plus répondre de rien. Ce grand homme, sous son air débonnaire, peut être un fauve sans pitié, croyez-moi. Alors, je vous en conju…

La porte s'est ouverte pour laisser découvrir un Martin Gagnon radieux.

— Alex, faut pas te mettre dans un état de même pour cinq malheureuses minutes.

— Douze minutes trente-neuf secondes exactement!

— Excuse-moi, Alex. Entre gars, je vais te dire la vérité. J'ai mangé des rondelles d'oignon tout à l'heure et elles avaient vraiment un drôle de goût. Depuis, j'ai le ventre qui fait des bruits bizarres avec tout ce qui peut suivre. Tu vois ce que je veux dire?

— On va peut-être se garder une petite gêne. Mais, bien entendu, si vos troubles gastriques devaient perdurer, je voudrais porter à votre connaissance que dans l'armoire à pharmacie de l'hôtel nous avons de l'Imodium en quantité industrielle, ainsi que de l'aspirine et des antalgiques. Vous n'avez qu'à appeler à la réception si de nouveau vous vous sentez mal. Cependant, à titre préventif, je vais immédiatement doubler votre provision de papier de toilette. Cette affaire réglée, revenons à ce qui m'amène ici que je puisse comprendre comment ces appels ont pu être passés de votre chambre en votre absence.

— Entre, on va discuter entre amis.

⊷

Quinze minutes plus tard, debout devant Martin Gagnon vautré sur le divan, le concierge, qui avait dû regarder beaucoup de séries policières dans sa jeunesse, se frottait le menton, perplexe.

— Récapitulons ! Vous êtes certain que rien depuis votre arrivée dans notre établissement n'a pu vous faire envisager qu'une personne non habilitée puisse s'y trouver, et surtout, soit entrée dans votre chambre ?

— Je te l'ai déjà dit, Alex. Rien, j'ai vraiment rien vu qu'aurait pu me faire penser à ça.

— Vous avez bien regardé, vous êtes certain qu'on a rien touché dans vos affaires, par exemple ?

— Alex, on a checké ensemble, j'ai fait trois fois le tour avec toi. Relaxe, s'il y avait quelque chose qu'avait été touché, chiant comme je suis, je te l'aurais dit, non ?

— Ça, je vous le donne.

Martin Gagnon s'est tapé sur le ventre pour éclater d'un rire gras, se voulant complice. Il s'est levé en faisant mine de manquer d'air pour avoir trop ri et il a posé sa main sur l'épaule du concierge avant de le coller à lui.

— Tu vois comme je t'aime bien ? Tu viens de me dire que je suis chiant et je te dis rien. Nous deux, c'était mal parti à cause d'un petit malentendu. Mais je crois maintenant qu'on a tout pour devenir de grands chums. Hein, Alex?

Le langage corporel du concierge n'a pas révélé un franc enthousiasme à la proposition de paix. Il s'est empressé de gigoter pour s'extirper de l'emprise de son client dont la soudaine familiarité semblait le laisser comme le grand hall : de marbre.

— C'est cette balle rouge qui me tracasse...

Cette fois, c'est le langage corporel de Martin Gagnon qui a trahi une inquiétude flagrante pour ce questionnement qui occupait l'esprit du concierge. Pour occuper ses mains qui semblaient ne plus vouloir lui obéir, il n'a trouvé qu'à lacer ses souliers. Mais une fois accroupi, il s'est rendu compte qu'il portait des mocassins et s'est vite relevé pour se retrouver nez à nez avec Alexandre.

— Parce que lorsque vous êtes venu nous voir avec cette balle rouge au *front desk*, vous nous avez bien dit qu'il y avait quelqu'un?

— Je crois, oui...

— Un enfant, c'est ça?

Les visages des deux hommes se touchaient presque. Comme dans les films, enfin ceux où les visages se touchent, aucun n'a voulu baisser les yeux. Mais à ce petit jeu, celui dont la vie a toujours consisté à être le meilleur a vite utilisé ce qui fait la différence au moment crucial de l'échappée. Vaincre, ou se sortir d'une situation difficile, n'est que l'expression d'une certitude que l'on impose à l'autre, l'adversaire. À cet instant, il faut trouver l'ouverture, ce petit trou par où passera la rondelle. Mais avant de la frapper, il faut s'échapper et prendre suffisamment d'avance pour ne point se faire rattraper, pour ne plus avoir qu'à se concentrer sur le tir, la mise à mort. Alors, la certitude de perdre s'impose à celui qui vous défiait et la feinte réussira. Le visage de Martin Gagnon s'est progressivement détendu, jusqu'à sourire, complice.

— Allez, je vais tout te dire. Mais tu me promets de garder ça pour toi?

— Je peux pas vous promettre.

— Alex, on est-tu amis ou pas amis?

— Je préfère ne pas vous répondre. Non que l'amitié soit un sentiment que j'ignore, mais elle ne peut être considérée dans ma position. Mes clients, je ne les aime pas pour ce qu'ils sont, mais uniquement parce que je dois en prendre soin.

— Max, je t'aime de plus en plus, parce qu'en fait, t'es comme moi, t'as la tête dure.

— Bon, enlevez votre main de mon épaule et venons-en aux faits. Que vouliez-vous me dire?

— J'espère que tu ne vas pas m'en vouloir, mais je t'ai fait une *joke* que je fais depuis plus de dix ans dans la ligue. C'est un gars de Winnipeg qui m'avait appris ça.

Martin Gagnon a sorti de la penderie du vestibule son manteau en cachemire. De la poche, il a extirpé la balle rouge.

— J'en ai toujours deux ou trois avec moi quand je voyage. Tu le sais, les hôtels, ils nous ont à l'œil. Alors ce qu'on fait, on en laisse traîner une, pis on va se plaindre en disant qu'on a marché dessus et qu'on a failli tomber et se blesser. Comme ils veulent pas d'histoire, pour se faire pardonner, ils nous donnent des bouteilles, de la bouffe, ou ils ferment les yeux sur nos petits écarts. Mais toi, tu m'as bien eu, t'as pas craqué parce que t'as un mental de fer. *The mental toughness*, comme les joueurs. T'as la tête dure, hein ? Pis en plus t'as pas de casque !

Même les animaux au sang le plus froid fondent si on sait les caresser dans le sens de poil. Mais en voulant jouer de trop de ruses, on finit par effrayer la proie qui, alors, ne mord pas.

— Je comprends que la réputation de notre établissement nous amène à la plus grande vigilance, mais vous n'allez tout de même pas, sauf votre respect, tenter de me faire avaler une énormité comme celle-là ?

— Je te jure que c'est vrai ! Même moi j'en reviens pas que ça marche encore. C'est pour ça que je t'admire tellement d'avoir flairé le coup tout de suite!

Le concierge n'en croyait pas ses oreilles, et encore moins son client. Martin Gagnon est allé chercher un de ses bâtons dans le placard, puis de la pochette d'un de ses sacs de hockey, il a sorti un gros feutre.

— Un petit bâton signé, juste pour toi. Une pièce de collection, c'est la nouvelle série pro de Sherwood, faite sur mesure avec mon nom gravé en lettres d'or, histoire que tu me pardonnes pour ma mauvaise *joke*. Pis si tu le vends à gros prix, je ne t'en voudrai pas, ça ne regarde que toi. Pis si tu en veux un deuxième, t'as juste à demander.

Le concierge n'a pu retenir un petit gémissement de bête blessée à entendre ce qui constituait pour ses grandes oreilles une insulte suprême à l'art de bien recevoir, sans jamais tendre la main.

— Le règlement de l'hôtel est formel. Nous ne pouvons accepter aucun cadeau d'un client.

— Mais je ne suis pas ton client, je suis ton ami!

— Monsieur Gagnon, je ne tiens pas à être votre ami. Nous n'avons aucun point commun si ce n'est de devoir partager ces murs le temps de votre séjour. Si je suis ici, c'est juste pour tenter de comprendre ce qui s'y passe. Suis-je assez clair?

À vouloir trop forcer sa nature, la nature finit par reprendre le dessus. Martin Gagnon a soudain serré les mâchoires car la colère, il ne savait la contenir autrement. Alors il a violemment jeté le bâton sur son sac.

— Aïe!

Le concierge avait-il entendu? Sans attendre, Martin Gagnon a tenté de reprendre le contrôle de la situation.

— Bon, ben, Alex, je pense qu'on s'est tout dit…

— Votre sac a fait "aïe".

— Non, non, il a pas fait "aïe".

— Oui, oui, il a fait "aïe"!

— J'en ai eu des sacs dans ma vie, je peux te dire que j'en ai jamais vu un qui faisait "aïe". Alors, je vois pas pourquoi celui-là, il ferait "aïe".

— Mais celui-là, il a fait "aïe". J'ai bien entendu.

La colère qui figeait quelques secondes plus tôt les traits de Martin Gagnon avait laissé place à l'angoisse. Mais comme les grands champions n'abandonnent jamais, il a tenté la feinte de la dernière chance.

— C'est juste moi qu'ai fait "ah" en posant mon bâton…

— Oui, mais "ah", c'est pas "aïe".

— Regardez, la je fais "ah"… Puis là, je vais faire «aïe»… "ah-aïe", "ah-aïe", "ah-aïe"… Moi, je la vois pas la différence!

— Oui, mais moi je l'entends.

Le concierge a dévisagé le sportif de haut niveau qui avait beau être une légende du hockey mais n'en était pas moins un piètre acteur, au jeu bien minimaliste, tant il restait figé, pendu à la réaction de son unique spectateur qui marchait maintenant vers lui.

— Ça vous embête si je regarde dans votre sac ?

Martin Gagnon, mauvais dans les rôles de composition, surtout s'il fallait jouer les bons, n'a eu aucun mal à reprendre celui du méchant. Il s'est planté devant son sac de hockey et il a croisé ses bras.

— Pas question ! Mon sac, c'est ma seconde peau, c'est une partie intime de moi-même. L'ouvrir, ça serait comme me mettre tout nu au Forum devant quinze mille personnes. Alors, tu peux tout retourner ici si tu veux, mais ça, tu n'y touches pas. Ça va me porter malheur !

Maintenant, de la sueur, il y en avait beaucoup sur le visage rouge de Martin Gagnon qui n'avait plus envie de combattre, mais juste de quitter l'arène.

— Faut que j'aille me coucher. J'en peux plus. Alors si tu pouvais fermer la lumière du couloir en partant…

Il a déboutonné sa chemise et l'a jetée sur le dossier du fauteuil avant d'enlever son tee-shirt qui, lui, a volé jusqu'au divan. Torse nu, il a marché jusqu'à la porte d'entrée. Le concierge a ramassé sur la table un téléphone débranché.

— Mais il y a encore une chose qui me tracasse… Vous m'avez bien dit que le téléphone s'était brisé lorsque vous aviez lancé le combiné après mon refus de vous fournir un tire-bouchon?

Martin Gagnon n'a pas desserré les mâchoires, il a juste ouvert la porte qui donnait dans le couloir. Mais le concierge a préféré soulever l'appareil à la hauteur du visage de son suspect numéro un qui serrait très fort la poignée.

— Si vous avez lancé le combiné, comment se fait-il que ce soit l'appareil qui ait été presque totalement enfoncé? Je devrais même dire transpercé. Alors que le combiné est resté aussi neuf et lisse que s'il sortait de l'usine?

Jusqu'alors bien accroché à la poignée, Martin Gagnon a fait l'erreur de la lâcher. Ses mains se sont mises immédiatement à remuer dans tous les sens. Il a eu la présence d'esprit de ne pas faire semblant de lacer ses chaussures, se souvenant cette fois qu'il portait des mocassins. Pour garder contenance, il a donc décidé de se gratter la tête.

— Ne tentez pas de me faire croire que vous êtes en train de réfléchir, monsieur Gagnon. Ça ne vous va pas. Vous mentez mal, très mal, même…

Et là, Alexandre a commis son erreur. On n'est jamais plus fort que l'autre, tant qu'il n'est pas à terre. Même acculé, un homme blessé reste un homme dangereux. Et ça n'est pas parce qu'il se gratte nerveusement la tête qu'il faut l'imaginer vaincu. Le concierge, croyant porter l'estocade finale, a posé un doigt accusateur sur le torse de Martin Gagnon.

— Ce téléphone n'est jamais tombé à terre, quelqu'un l'a défoncé, en plein milieu même ! Regardez vos chaussettes sous votre talon ! Elles sont pleines de petits bouts de plastique jaune ! Vous me prenez pour un imbé…

La main de Martin Gagnon a quitté son front pour s'enrouler autour du cou du concierge. Cette attaque surprise, fulgurante et définitive, il l'avait tant de fois pratiquée qu'une fois ferrée, la proie était perdue. Plaqué contre le mur, le pauvre Alexandre a bien essayé de frétiller un moment, mais il a dû se rendre à l'évidence, il n'était plus qu'un papillon dont les ailes battaient l'air. La suite de l'acte d'accusation s'est alors résumé à un seul mot, peu utilisé dans le jargon judiciaire, mais très à propos dans la circonstance.

— Gloup !

Torse nu, l'épaule collée contre le nez du concierge qui avait renoncé à se débattre, le plus fort des deux est resté un instant à peser de tout son poids sur le plus faible.

— Gloup… Gloup…

Martin Gagnon a regardé autour de lui. Il n'y avait aucun lampadaire glacé pour coller son front et faire redescendre la température. Alors il a décollé son corps de celui d'Alexandre avant de relâcher son emprise.

— Décrisse et ferme ta yeule, maintenant.

Sans demander son reste, le concierge s'est enfui dans le couloir. Rendu aux portes de l'ascenseur, à une distance suffisante pour envisager un repli stratégique sans risque, il a levé bien haut le bras pour s'assurer que le téléphone, troué, soit bien en vue.

— Vous ne pensez tout de même pas que je vous ai cru quand vous m'avez assuré qu'un faux contact a pu déclencher des appels à répétition à la réception ? Y a plus un seul fil qui fait contact dans l'appareil !

Martin Gagnon a refermé la porte de la chambre en la verrouillant à double tour, mais il a bien entendu ce que criait Alexandre.

— Il y avait quelqu'un dans votre chambre, je le sais ! Vous ne vous en tirerez pas comme ça. On va se revoir, monsieur Gagnon. Croyez-moi ! J'attaque mon rapport, *now*, et j'ai comme l'impression que ça va être un roman !

Martin Gagnon a attendu le «ding» signalant que les portes de l'ascenseur venaient de se fermer pour renvoyer le concierge à ses clefs, puis il s'est rendu à son sac de hockey. Il a vite fait coulisser la languette le long de la grosse fermeture éclair. Ruisselant de sueur, il est allé jusqu'au minibar et s'est accroupi pour ouvrir la porte. Il a soulevé le couvercle du minuscule compartiment à glaçons pour en sortir trois du petit bac et les coller à son front. Il s'est relevé pour aller jusqu'au divan. D'une main, il a saisi son tee-shirt et l'a enfilé. Il s'est assis pour faire cesser le tressaillement nerveux de ce pied qui ne l'écoutait toujours pas. Les glaçons ont fait leur œuvre. Le calme est revenu en lui. Son pied ne battait plus sa folle démesure. Martin Gagnon s'est alors tourné vers le sac.

— Tu peux sortir. Y a plus que nous deux.

DEUXIÈME PARTIE

Dans la vie, rien n'est à craindre,
tout est à comprendre.

Marie CURIE

C'EST MON ENFANT !

Dans un grand silence, le dessus du sac de hockey a doucement ondulé, plusieurs fois, avant de se soulever de quelques centimètres à peine. Dans l'entrebâillement de la fermeture éclair, deux petits yeux écarquillés sont apparus un instant avant de vite disparaître. Le sac s'est refermé et plus rien ne s'est passé.

Puis, comme une coquille d'œuf qui se brise, un pan du sac a volé dans les airs et a laissé apparaître une tête aux cheveux blonds emmêlés, une tête d'enfant, dont les yeux noisette ont cligné à voir la lumière, avant de se poser sur celui qui, sur le divan, semblait figé.

Martin Gagnon a observé le petit être qui tentait de se lever. N'ayant nulle part où se rattraper, il a failli trébucher, mais il a réussi à rester sur ses jambes qui ont tremblé avant de le tenir debout.

L'homme et l'enfant se sont contemplés, curieux, mais surtout surpris de se retrouver dans cette situation improbable qui fleurait l'irréel. Pourtant, Martin Gagnon n'avait pas l'impression de rêver, mais plutôt de vivre un de ces grands moments de vie, lorsqu'elle vient frapper à votre porte Même si cet enfant ne tombait pas du ciel, puisqu'il venait juste de sortir de son sac de hockey, l'homme y a vu le signe que son destin venait de le rejoindre, enfin. Cet enfant, à ne jamais le vouloir, il n'avait fait que l'imaginer, toujours en noir. Alors, il a ouvert les yeux le plus grand qu'il le pouvait pour ne rien rater de sa nouvelle vie.

L'enfant a sorti une jambe de son nid de fortune, puis l'autre, et a fait ses premiers pas tout en défroissant des mains son polo du Canadien de Montréal. Martin Gagnon y a vu un autre signe. Ce qu'il redoutait tant, ce qui lui faisait tellement peur, ce qu'il se refusait à envisager, l'a soudain percuté pour le pénétrer d'un coup et chasser l'idée même de se demander ce qu'un enfant de sept ans pouvait faire dans sa chambre, à cette heure, tout seul. Il n'a pas douté que c'était bien lui. La révélation est une réponse à une question que l'on ne se posait pas, mais lorsqu'elle vous foudroie, l'évidence se révèle et ce qui ne s'expliquait pas vous illumine.

Martin Gagnon est allé chercher dans la poche de son manteau la petite casquette trouvée plus tôt dans cette chambre. Sans hésiter, il l'a posée sur la tête de l'enfant, ne doutant pas qu'elle était sienne. L'image que renvoyait maintenant cette petite chose était si belle qu'il a eu besoin de se rasseoir.

— Tu t'appelles comment?

L'enfant n'a pas bronché.

— Tu sais pas parler?

L'enfant n'a pas bronché.

— T'es sourd?

L'enfant a fait non de la tête.

— Alors, t'es muet?

L'enfant n'a pas esquissé le moindre mouvement, ce qui a inquiété Martin Gagnon. Cherchant quoi faire pour entamer un début de communication avec celui dont il se sentait déjà si proche, il s'est souvenu avoir rencontré, plusieurs années auparavant dans un bar mexicain de Detroit, une étudiante en langue des signes, brune aux yeux bleus, qui portait pour quelques heures encore une robe moulante rouge, très décolletée. Entre bières, tacos et tequila rapido, la belle jeune femme lui avait enseigné quelques rudiments de ce langage gestuel, en n'utilisant, bien entendu, que ses mains. Le grand joueur avait ainsi appris à se présenter, en toute simplicité.

— Bonjour, je suis Lagagne!

S'il ne se souvenait plus du prénom de la demoi- selle, il n'avait jamais oublié la petite leçon. Alors il a souri à l'enfant, toujours immobile, et il s'est présenté dans une suite de figures de la main, en prenant le temps d'articuler chaque syllabe qu'il gesticulait. Pour toute réponse, il a reçu un timide sourire. Son cœur a soudain battu très fort. L'homme a pensé tendre ses bras et les ouvrir tout grands, mais l'enfant ne le regardait plus, subjugué par le téléviseur.

— J'ai pas le goût de jouer aux Indiens avec toi, je veux regarder un dessin animé sur la grande télé!

— Mais tu parles?

L'enfant n'a pas répondu, trop occupé à presser les boutons de la télévision alors que, mains jointes et tête relevée, son compagnon de chambre venait de comprendre qu'il y avait peut-être plus impor- tant dans la vie que de compter un but en prolon- gation, et remerciait le ciel, enfin le plafond, pour ce miracle qui venait de le toucher.

— Pourquoi elle marche pas ta télé?

Martin Gagnon a adoré le ton affirmé et un brin autoritaire. Il a contourné le fauteuil pour soulever sa chemise chiffonnée, jetée là plus tôt, et il a ramassé la télécommande, cachée dessous. Il est revenu vers l'enfant, toujours planté devant la télé, et s'est accroupi à côté de lui.

— Tu vois, ça, c'est une petite boîte magique. Avec elle, je peux faire ce que je veux sur l'écran. Veux-tu que je t'apprenne à faire de la magie pour allumer la télévision?

Là, il n'a pas été possible de voir un quelconque enthousiasme dans le regard du plus petit. Ce ne fut même pas de la déception, mais quelque chose de pire encore que l'on décèle chez ceux à qui on prêtera, plus tard, du caractère et cette faculté de regarder les autres de haut.

— J'ai sept ans et je sais comment ça marche, c'est juste que tu l'avais pas rangée comme il faut!

— Je le savais que tu avais sept ans.

L'enfant a toisé l'adulte comme s'il faisait face à un redoublant de première année de maternelle à qui la maîtresse viendrait d'annoncer qu'il allait devoir en faire une troisième, mais cette fois, avec un programme allégé.

— Pis ça fait deux mois que j'ai sept ans!

L'enfant a arraché la télécommande des mains de l'homme au regard frit d'amour et, sans même la regarder, il a pressé la touche rouge. Dès que l'image est apparue sur l'écran, le petit homme a trouvé, sans vraiment les chercher, les flèches pour faire défiler les programmes. Il s'est arrêté à un dessin animé en anglais puis est allé s'asseoir dans le fauteuil en prenant bien soin de cacher la manette derrière lui, tout en posant sur l'adulte un regard condescendant. Martin Gagnon n'y a vu que le meilleur et il a chuchoté ce qu'il aurait tant aimé hurler au monde entier.

— Crisse, qu'il est intelligent pour son âge !

L'enfant a rapidement été englouti par *Teenage Mutant Ninja Turtles* et n'a plus fait que mimer des mains le violent combat opposant Michelangelo à Shredder. Quand il s'est mis debout sur le coussin du fauteuil pour donner des coups de pied imaginaires aux rats mutants qui venaient d'attaquer par-derrière Donatello, l'homme à la réputation de dur de dur a savouré le spectacle de la petite pousse qui ne s'en laissait pas conter, n'ayant peur de rien, comme lui. Mais au moment où il a sauté sur le dossier pour s'y tenir debout, dans un équilibre précaire, Martin Gagnon a ressenti un petit frisson dans le ventre, une sensation inconnue. Le frisson s'est transformé en une petite boule qui a très vite grossi lorsque l'enfant, qui du haut du dossier venait de tuer quatre rats mutants avec son bras laser, a prévenu le dernier des méchants du sort qu'il comptait lui réserver.

— Je vais t'écraser en faisant le super salto de la mort !

Ça n'était plus une boule que Martin Gagnon avait dans le ventre, mais un ballon de soccer que l'on gonflait jusqu'à vouloir le faire éclater. Même devant les menaces des terreurs de la ligue qui le dépassaient d'un pied et cinquante livres, il n'avait jamais pensé une seconde à avoir peur. Il ne connaissait ni le sentiment ni la sensation, même s'il savait semer la terreur dans son sillage. L'effroi est une patate chaude qu'il faut toujours lancer à l'autre. La peur ne donne pas des ailes, elle vous cloue et vous immobilise, comme l'était à cet instant Martin Gagnon, sur le divan, à la vue de l'enfant, toujours debout sur le dossier du fauteuil, mais ne s'y tenant plus que sur une jambe.

— Je viens te sauver, Donatello!

L'envolée ne fut pas royale, l'enfant s'étant juste laissé tomber du dossier. Mais comme Martin Gagnon a vu la chute au ralenti, il a vraiment eu l'impression qu'il avait sauté de haut. Ça a fait boum quand les petits pieds ont touché le sol. La casquette a volé dans les airs. L'enfant s'est écroulé sur le dos, les bras en croix, et n'a plus bougé.

— Ça va, mon homme?

Martin Gagnon était déjà au chevet du blessé. Délicatement, il a pris la main de l'enfant et l'a posée sur la sienne, grande ouverte. De son autre main, il a caressé avec douceur les petits doigts tout chauds.

— Arrête, tu me chatouilles!

L'enfant a retiré sa main et s'est levé d'un bond pour retourner dans le fauteuil, mais cette fois, sagement assis sur le coussin. Renfrogné, il a croisé les bras, en décochant un regard méchant à son sauveur.

— Je faisais semblant d'être mort. Tu comprends jamais rien!

Martin Gagnon, le regard vide, a affronté le petit être qui le défiait en fronçant les sourcils. C'était vrai qu'il ne comprenait rien. L'enfant est retourné à l'écran de la télévision où les affaires de Donatello ne s'arrangeaient pas. Il a changé plusieurs fois de position avant de décider de s'installer en travers du fauteuil, le dos sur l'accoudoir, les jambes sur l'autre, pour faire ainsi disparaître de son champ de vision l'homme qui venait de se relever en ramassant au passage la petite casquette.

— Tu la veux?

Sans regarder, ni même savoir sur quoi portait la question, l'enfant a fait non de la tête. Martin Gagnon a posé la casquette sur la table basse et s'est rendu à la fenêtre. Il a collé son front sur la vitre froide. Pschitt. Il s'est détaché de la surface glacée pour observer, dans le reflet, l'enfant de nouveau rivé à l'écran.

— Splinter, vite! Il faut sauver Donatello, sinon le méchant Shredder va le tuer!

En observant le petit téléspectateur qui lançait les pieds en l'air au rythme des épées turbo magiques qui se frappaient dans un fracas d'éclairs, Martin Gagnon a dû convenir que pour ne les avoir jamais vraiment regardés, ni appréciés, ni surtout aimés, il en savait bien peu sur les enfants. Pourtant, sans qu'il puisse l'expliquer, quelque chose d'étrange s'était passé en lui, un sentiment jamais vécu. Pourquoi avait-il eu si peur de le voir tomber? Mais surtout, pourquoi avoir eu si peur pour quelqu'un d'autre que soi, alors qu'il n'avait jamais eu peur pour lui-même? L'apparition de cet enfant devait y être pour quelque chose. Il ne fallait pas s'inquiéter, mais juste apprendre.

— Ça s'apprend où, ça?

Il a envisagé d'appeler un de ses anciens coéquipiers à Los Angeles, déjà père, mais cela aurait ébruité cette drôle de situation sur laquelle il avait si peu à dire, n'en connaissant rien. Bien entendu, ses parents auraient pu l'aider pour lui enseigner les rudiments de la relation parents-enfant, mais pour cela, il aurait fallu leur parler. Impensable. Martin Gagnon a donc pris, sur-le-champ, la résolution d'apprendre tout seul, quitte, même, à acheter des livres.

— Sans images, en plus!

Mais là, alors que jouait le générique de fin des *Tortues Ninja*, il y avait urgence. Que pouvait-il bien proposer de faire à l'enfant ? Lui, à cet âge, à part jouer au hockey avec son père, il n'avait fait que jouer au hockey avec son père. Alors, il s'est tourné vers le fauteuil.

— Quand tu auras fini de regarder la télé, on peut jouer au hockey ? J'ai des bâtons pis t'as une balle rouge. On va avoir du fun pis ça nous fera un peu d'exercice.

— J'aime pas le hockey.

À travers la fenêtre, Martin Gagnon a contemplé la ville vide comme lui. Enfant, pourtant, la seule chose dont il se souvenait, c'était qu'on avait toujours décidé pour lui. Adulte, il s'était fié aux coachs. À bien y penser, on lui avait toujours dit quoi faire. Il en est arrivé à la conclusion qu'il n'avait pas la moindre idée de ce qu'il pourrait bien dire, et encore moins proposer.

— Lagagne ?

Même si des dizaines de milliers de personnes avaient déjà scandé son nom dans les estrades durant ses meilleures années sur la glace, l'entendre de cette voix cristalline, que Martin Gagnon savait déjà pouvoir reconnaître entre mille, a fait naître une nouvelle boule dans son ventre. Cette fois, elle était chaude et délicieuse. Un sourire idiot a éclairé son visage. Pour l'éteindre, il s'est discrètement adossé à la vitre glacée et y a collé l'arrière du crâne. Pschitt !

— On va faire quoi maintenant tous les deux?

Pschitt-pschitt! Martin Gagnon s'est décollé de la surface glacée et il a marché vers l'enfant, toujours allongé en travers du fauteuil.

— Tu te souviens de mon nom? T'as une sacrée mémoire, j'en reviens pas. Mais toi, tu ne m'as pas encore dit le tien.

— Ben, tu me l'as pas demandé.

— Mais oui je te l'ai demandé, tout à l'heure.

— Pas vrai!

— Bon, alors, je te le demande, tu t'appelles comment?

— Je veux pas te dire!

Martin Gagnon a perdu sa bonhomie pour ressentir de nouveau ce grand vide, ne sachant quoi rétorquer, comme si, dès que son cœur battait trop vite, plus rien ne fonctionnait en lui. L'enfant a dû lire son désarroi et vite comprendre que s'il ne parlait pas, tout de suite, plus rien ne sortirait de la bouche de l'adulte et qu'en matière d'activité, cela risquait d'être bien morne.

— Il est vraiment trop poche, mon prénom.

— Mais non, je suis sûr qu'il est très beau, ton prénom.

— Tout le monde se moque de moi.

— Quoi?

L'enfant a frémi au soudain haussement de ton de l'adulte. Martin Gagnon s'est également étonné de réagir si fort, pour si peu. Mais dans sa tête, c'était clair. Si quelqu'un, à partir de maintenant, osait faire du mal à ce petit ange qui le regardait de ses si jolis petits yeux noisette, avec sa tignasse blonde ébouriffée et sa petite moue boudeuse, il allait passer un mauvais quart d'heure. Non, deux mauvais quarts d'heure. Mais avant de prendre en poing ce dossier, il a préféré se renseigner.

— J'espère que tu leur as bien cassé la gueule, à ces petits morveux?

— Je suis trop petit, pis j'ai peur de me battre parce que tout le monde est plus fort que moi à l'école parce que je sais pas me défendre.

Sitôt le choc passé que l'on ose frapper sur cette belle petite frimousse, Martin Gagnon a répondu de son plus beau sourire. Non qu'il se réjouissait du sort réservé à son petit protégé par ses vilains camarades de classe, mais parce qu'il avait enfin trouvé une activité, et surtout quelque chose à lui apprendre. Ce n'étaient pas les secrets de la défense qu'il enseignerait à son jeune élève, mais l'art de l'attaque, fulgurante et définitive, si possible par surprise. Car attaquer, c'est ne plus jamais avoir besoin de savoir se défendre.

— Alors, dis-moi, c'est quoi ton prénom?

— Si je te le dis, tu te moques pas?

— Moi, me moquer de toi, mais t'es fou? Jamais je ferais ça!

La promesse de solidarité éternelle n'a eu aucun effet sur l'enfant. À l'avance honteux de ce qu'il allait dévoiler, il a baissé la tête et il a juste chuchoté.

— Martin…

— J'ai bien entendu?

L'enfant a opiné en mettant ses deux petites mains sur son visage, pour le cacher, avant de se recroqueviller.

— C'est pas vrai! c'est pas vrai! Tu t'appelles pas Martin, quand même?

— Je savais que t'allais te moquer.

Martin Gagnon a bien pensé courir au réfrigérateur pour se munir, en urgence, de deux autres glaçons, mais il devait d'abord annoncer la grande nouvelle.

— Tu sais pas quoi?

L'enfant a enlevé les mains de son visage. Il s'est tourné pour regarder l'homme qui trépignait d'impatience pour parler, puis il a fait non de la tête.

— Moi aussi je m'appelle Martin!

Si on avait appris à cet enfant de sept ans, déjà pas au mieux, que les taux d'intérêt des banques suisses avaient été baissés de zéro virgule cinq pour cent afin de soutenir le cours de la morue sur les marchés asiatiques, l'effet sur son visage aurait été le même, c'est-à-dire inexistant. En revanche, chez l'adulte, les indices venaient d'atteindre des sommets historiques.

— Tu te rends compte ? On s'appelle pareil !

L'enfant a semblé enfin comprendre. Il a repris vie et dans son regard, soudain complice, il restait tout de même une grande interrogation.

— Toi aussi à l'école ils te disaient "Martin le pas fin qu'a pissé dans ses patins" ?

— Non, y en a aucun qu'aurait osé dire ça.

— Même les grands de deuxième année ?

— Et même les troisième année…

— Comment tu faisais ? Ça se peut pas de battre les troisième année !

Martin Gagnon n'a pas eu à réfléchir longtemps pour trouver sa réponse. L'art de l'attaque fulgurante et définitive, si possible par surprise, il allait commencer à l'enseigner pas plus tard que maintenant ! Solennel, il a posé sa grande main sur les frêles épaules de celui qui le regardait avec admiration.

— Viens, je vais te faire voir !

L'apprenti enseignant a marché vers le centre du salon en faisant pivoter sa tête afin d'étirer ses cervicales. Le petit a gambadé derrière en tentant d'imiter, malhabile, les mouvements de son nouveau maître à penser.

— Et ça marche aussi avec les quatrième année?

Martin Gagnon n'a pas répondu, concentré à donner sa première leçon en prêchant par l'exemple. Il a écarté les jambes et a joint ses bras pour les tendre devant lui. Lentement, il les a levés jusqu'à les faire passer par-dessus la tête et les étirer en arrière, le plus loin possible. Il a répété le mouvement plusieurs fois, en y ajoutant les commentaires.

— Un, deux, un, deux, un, deux, un, deux...

Un texte que l'enfant a vite appris par cœur.

— Un, deux, un, deux, un, deux, un, deux...

À l'évidence plus doué pour la récitation que l'exercice physique, le petit Martin a cessé d'imiter les gestes du grand Martin. Donc, au bout d'un moment, seul le grand faisait des mouvements, alors que le petit comptait.

— Un, deux, un, deux, un, deux, un, deux...

Le maître a fini par regarder l'élève et s'est rendu compte que dans sa classe, il y avait peut-être un tire-au-flanc.

— Euh, bon... maintenant les *push up*!

En veillant, cette fois, à ne pas lâcher son disciple des yeux, Martin Gagnon s'est allongé ventre à terre sur le sol. Posé sur la pointe des pieds, jambes tendues, il a relevé le haut de son corps par la seule

force de ses bras musclés, puis a entamé une première descente. L'enfant, qui avait tout de même
retenu quelques enseignements du premier exercice, a tenu à y participer.

— Un, deux, un, deux, un, deux, un, deux…

— Non, non. Là, je l'ai fait une fois pour te
faire voir ! À toi d'essayer. Je vais regarder si tu fais
bien ça.

L'examen a été de courte durée car le petit
Martin, une fois au sol, appuyé sur ses mains, n'a
jamais pu se relever à la faiblesse de ses petits bras,
malgré une tentative de dopage qu'aucun règlement cependant ne condamne.

— À moi les super pouvoirs des Tortues Ninja !

Martin Gagnon n'a pu se retenir de sourire
quand il s'est penché pour saisir délicatement l'enfant et le relever. Ainsi, il a pu mesurer à quel point
ses bras étaient fins et peu musclés.

— Bon, on va prendre un *break*. Va regarder la
télé pendant que je réfléchis à ta prochaine leçon.

L'enfant a couru pour sauter sur le fauteuil et a
repris possession de la manette pour faire défiler les
programmes. Le nouveau professeur de gymnas-
tique s'est rendu jusqu'à son sac de hockey pour
s'emparer d'un feutre noir et d'une feuille blanche
pour écrire son plan de cours. Vu le petit format de
son poulain et son manque évident de tonicité,

l'objectif serait désormais l'art de l'attaque fulgurante et définitive, si possible par surprise, mais
surtout par-derrière. Ayant toujours affronté de face
les situations de combat, Martin Gagnon n'avait
aucune expérience sur le sujet. À vrai dire, il éprouvait même pour les adeptes de ce mode offensif un
profond mépris. Les hommes n'attaquent pas de
dos, mais quand on aime plus petit que soi et que
l'on désire que personne ne lui fasse du mal, on
tord ses principes.

— Ils vont rien voir venir, les deuxième année !

Il a posé la pointe du feutre sur la feuille blanche.
Mais rien n'est venu. Il s'est gratté la tête, mais la
mine du feutre qu'il fixait, tel le berger se fiant à sa
bonne étoile, n'a pas bougé.

Toc toc toc ! On frappait à la porte. L'enfant a
sauté du fauteuil. Heureusement qu'il ne courait
pas bien vite, sinon Martin Gagnon n'aurait jamais
pu le rattraper avant qu'il n'ouvre la porte. Il a pris
le petit Martin dans ses bras et a couvert sa bouche
de sa grande main puis il a regardé à travers le judas
avant de chuchoter.

— C'est le méchant monsieur de tout à l'heure.
Il ne faut pas qu'il te voie !... Tiens, on va jouer à un
jeu, tu vas te cacher et il faut pas qu'il te trouve.

Deux minutes plus tard, l'occupant de la suite 919 a déverrouillé la porte pour l'ouvrir. Le concierge, tenant dans sa main six rouleaux de papier de toilette enfilés sur une ficelle, n'a pas attendu qu'on l'y invite pour entrer.

— Aux grands maux, les grands remèdes!

Il s'est dirigé dans la salle de bain pour déposer les munitions du client avant d'en ressortir aussi vite qu'il y était entré. Il s'est planté au milieu du salon pour l'inspecter. Son regard s'est arrêté sur la télévision.

— Vous regardez encore des dessins animés, vous, à votre âge?

— Oui, ça m'arrive, ça me détend.

Alexandre a ricané. Il n'en croyait pas un mot. Sage, Martin Gagnon n'a pas cherché à le contredire. Il voulait juste que cette visite se termine au plus vite.

— Je ne vais pas te retenir, tu dois avoir une nuit occupée?

— Non, non, pas du tout, c'est plutôt calme, même…

Le concierge a saisi la télécommande posée sur l'accoudoir du fauteuil et s'est approché de Martin Gagnon pour chuchoter à son oreille.

— Voulez-vous que je vous explique comment on peut recevoir les chaînes adultes? Nous mettons à

votre disposition les dernières nouveautés améri-
caines et les grands classiques du genre. Pour votre
information, afin que vous n'ayez aucun souci avec
ceux qui paient votre séjour dans notre établissement, sachez que sur la facture nous indiquons
pour ce genre de service "soin du corps". Pas bête,
hein?

— Non, merci, j'allais me coucher, là.

Le concierge n'a même pas écouté la réponse, il
la connaissait. Il avait juste cherché à faire diversion, le temps de pouvoir espionner la suite dans ses
moindres recoins. Soudain, il a couru vers la table
basse pour saisir la petite casquette qu'il a méticu-
leusement examinée.

— Tiens, tiens…

— Elle est à moi!

— Vous plaisantez, j'espère? Je veux bien croire
que votre tête n'est pas la partie la plus développée
de votre corps, mais de là à imaginer qu'elle peut
tenir dans un si petit récipient... Ça n'est pas la
vôtre! Elle n'était pas là tout à l'heure. Alors, à qui
peut-elle bien appartenir?

Martin Gagnon a arraché la casquette des mains
du concierge et a ramassé le feutre noir qui était
posé sur la feuille blanche, et, avant de signer, il a
écrit sur la visière.

— C'est un fan qui m'a demandé un autographe!

Pour preuve, il l'a tendue au concierge qui a lu à haute voix.

— "À mon ami Martin, amitiés sportives"… Tiens, tiens, comme c'est bizarre… Vous vous signez des casquettes à vous-même, maintenant ?

— C'est pour le fils d'un ami… qui s'appelle Martin.

Alexandre aurait mieux fait de choisir l'école de détectives au lieu de celle de l'hôtellerie, tant il semblait aimer ce rôle de composition ponctué de répliques sibyllines dont le ton devait semer le mystère pour déstabiliser l'adversaire.

— Tiens, tiens, il n'y en a donc pas qu'un qui s'appelle Martin… hi ! hi ! hi !

Le Martin qui lui faisait face ne l'a pas pris pour lui, mais la colère l'a immédiatement envahi. Curieusement, il n'a pas vu rouge, mais juste le visage du concierge qui s'est transformé pour laisser place à un diaporama, sans fin et en couleur, dans lequel des visages de vilains enfants de deuxième année défilaient en criant.

— T'es pas fin ! T'es pas fin ! T'es pas fin !

À la vue de Martin Gagnon, pris de tremblements, le concierge, pressentant une nouvelle agression, a reculé.

— Je vais pas vous déranger plus longtemps.

— Vaut mieux, oui.

Alexandre a battu en retraite vers la porte, mais s'est arrêté net à la vue du sac de hockey. Il s'est retourné vers celui dont le front semblait encore fumer, mais l'homme n'a pas bronché. Le concierge a hésité en jaugeant de loin son adversaire. Puis, n'y résistant pas, il a donné un coup de pied dans la poche. Elle s'est immédiatement dégonflée. Elle était vide. Penaud, l'inspecteur-concierge a marché tête basse jusqu'à la porte avant de disparaître, mais il a tenu à avoir le dernier mot.

— C'est pas fini, nous deux!

Martin Gagnon est resté debout, tentant de se remettre de cette nouvelle intrusion, certainement pas la dernière. Il a senti une tête se poser contre sa hanche et un petit bras l'enlacer. Sans regarder, il a mis la main, celle qui ne tenait pas la casquette, sur l'épaule si frêle et chaude qui venait de se coller à lui.

— T'as eu raison de me dire d'aller me coucher sous le lit de la chambre, sinon il m'aurait trouvé dans le sac!

Martin et Martin sont restés soudés un moment. Le plus grand des deux a repensé à cette soirée au Forum où il avait compté quatre buts et deux passes, le Graal de tout joueur, l'acte ultime, acclamé par une foule en délire. Mais le plaisir vécu ce soir-là ne pouvait se comparer avec ce qu'il ressentait à l'instant. Autant il avait eu naguère envie de le crier, de l'exprimer, de le faire sortir de son corps, autant à l'instant il voulait le garder prisonnier de son cœur qui battait si vite, mais surtout si fort.

— On fait une belle équipe tous les deux.

Il est remonté plus loin dans le temps pour tenter de se souvenir s'il avait jamais connu pareille tendresse avec son propre père. Ou plutôt, si son père avait apprécié ce bonheur de le sentir fondre sur lui. Il n'a pu retrouver ce moment de grâce. Avait-il seulement un jour existé? Mais les mots, il ne les avait jamais oubliés, juste enterrés.

— Martin! Décolle-toi de moi, t'as plus deux ans, t'en as cinq! Allez, patine, patine!

Si les plaies du corps se soignent, puis se referment, les blessures de l'enfance saignent à tout jamais. Elles nous plongent toute la vie dans le manque et les questions qui jamais ne trouveront réponse. À défaut de les oublier, il faut que jamais elles ne se rouvrent pour que l'être blessé puisse renaître ailleurs, et surtout autrement.

— Veux-tu que je te raconte comment j'ai rusé pour faire partir le méchant concierge?

Le petit corps s'est décollé du grand, qui en a profité pour cacher la petite casquette derrière lui.

— Et en plus, il y a une petite surprise pour toi !
L'enfant a écarquillé les yeux.

— C'est quoi ?

Martin Gagnon a juste placé la casquette sous
ses yeux en veillant à ce que la dédicace soit dans
le bon sens.

À la vue de la visière portant le texte et la signature de celui contre qui il était encore collé il y a
une minute, l'enfant a perdu d'un coup son
sourire.

— Mais qu'est-ce que t'as fait ?

— Quoi, qu'est-ce que j'ai fait ?

— T'as écrit sur ma casquette !

L'enfant n'était pas en colère, il était hystérique.
Hurlant plus fort encore, il a trépigné avant de
foncer donner un coup de pied au tibia de l'adulte
à qui il en voulait tant.

— C'est ma casquette !

Puis un autre coup de pied. Mais cette fois,
Martin Gagnon l'a évité. Il s'est penché pour
attraper le minuscule assaillant à la taille et le
soulever.

— Je vais t'en acheter une toute neuve. Même
vingt toutes neuves ! Pis je vais ajouter un chandail,
des culottes, des bas, des patins, dix bâtons, un but
de hockey tout neuf ! Et je te promets, j'écrirai pas
dessus !

— J'en veux pas! Ma casquette, c'est mon papa à moi qui me l'avait donnée! Mon papa à moi! Mon papa à moi!

— Regarde, je te donne ma bague de la coupe Stanley. Tu seras le seul enfant au monde à en avoir une!

Aussitôt dit, aussitôt fait. L'enfant a saisi la bague dorée, sertie de ses brillants. Sans même la regarder il l'a lancée du plus fort qu'il a pu. Elle a volé en direction de la salle de bain. Elle a fait boum contre la porte, puis clac contre un carreau, puis elle a fait plouf!

— Ma bague…

Même si les pieds de l'enfant frappaient toujours le vide, Martin Gagnon, le souffle court, a eu besoin de s'asseoir avant que ses jambes ne le lâchent. Il s'est laissé tomber en installant de force l'enfant qui gesticulait et hurlait sur ses genoux. Il n'aurait pas dû. Le petit démon a démontré une prédisposition insoupçonnée de son mentor pour l'attaque fulgurante et définitive, si possible par surprise. Avant même que l'homme n'ait le temps de comprendre son intention, l'enfant a saisi la télécommande posée sur l'accoudoir et l'a frappé de toute sa rage sur l'arcade sourcilière, là où la peau est si fine. Le sang a jailli pour couler sur le tee-shirt et le tissu du fauteuil. L'enfant a profité de l'effet de surprise pour se dégager et courir à la fenêtre pour hurler, en transe.

— Mon papa il va venir me chercher! Mon papa il va venir me chercher! Mon papa il va venir me chercher!

Le sang coulant toujours de son arcade, Martin Gagnon s'est recroquevillé. Il s'est bouché les oreilles pour tenter de fuir cette braillarde litanie qui le transperçait en battant la mesure au rythme de son cœur, affolé.

— Mon papa il va venir me chercher! Mon papa il va venir me chercher! Mon papa il va venir me chercher!

Les poumons brûlants, il n'était maintenant plus qu'une boule de feu prête à exploser. Et soudain, elle a éclaté. D'un bond, il s'est levé et il a marché jusqu'au petit braillard pour démontrer que de la voix, lui aussi, il en avait.

— Bon, maintenant, ça va faire! Moi aussi je peux me mettre en colère et crier!

L'enfant s'est arrêté net de hurler. Stoïque, le duo de Martin au grill s'est regardé, sans qu'aucun ose parler, pour lentement refroidir dans le silence.

Toc! Toc! Toc! Ça n'avait pas frappé fort, mais ça frappait quand même.

Martin Gagnon a marché jusqu'à la porte sur la pointe des pieds. Il a regardé à travers le judas. Une voix a parlé, paniquée.

— Ouvrez-moi s'il vous plaît… C'est mon enfant !

LE PÈRE NOËL EN PERSONNE

Martin Gagnon a collé deux glaçons posés sur le bord du lavabo et il les a plaqués contre son arcade. De la fine blessure, le sang n'a plus coulé. Alors que du salon s'échappait un discret claquement de talons au rythme lancinant d'un lent va-et-vient, l'homme blessé a saisi le rouleau de *tape* noir, sorti plus tôt de son sac de hockey, destiné en temps normal à enrubanner la palette de ses bâtons. Il a laissé tomber les glaçons sur la faïence du lavabo. Ils ont rebondi dans un ultime et fondant cliquetis. Martin Gagnon a déchiré une fine bandelette du rouleau, puis, entre le pouce et l'index, il a pressé les bords de la plaie de son arcade pour la refermer. D'un geste précis, il a plaqué le *tape* sur sa coupure et, le pansement posé, il s'est rendu au bord du lavabo et s'est interrogé dans le miroir.

Quel âge pouvait-elle bien avoir? Peut-être le sien. Peut-être moins. Quand elle était entrée, il n'avait pas eu le temps de l'observer parce qu'elle ne l'avait pas regardé, trop pressée d'aller se jeter dans les bras de son fils qui courait déjà vers elle.

Le rythme des talons sur le sol a accéléré pour se faire entendre de plus en plus fort, jusqu'à ce qu'il s'arrête devant la porte de la salle de bain.

— C'est bon, on peut parler, maintenant?

Martin Gagnon s'est tourné vers la femme qui portait dans ses bras l'enfant aux yeux fermés, la tête posée sur son épaule.

— C'est qu'il est lourd.

— Vous voulez que je le prenne?

— Ça va le réveiller. Il risque de mal réagir.

❦

Blotti contre sa mère assise sur le fauteuil, l'enfant ne dormait plus, suivant distraitement à la télévision les tribulations d'un troupeau de gnous pris dans la sécheresse d'un désert africain. Il n'avait pu choisir une autre émission puisque la télécommande était brisée, Martin Gagnon n'ayant pu la réparer, malgré toute sa bonne volonté.

— C'est qu'il y en a du muscle dans ce petit bras!

Alors qu'un jeune gnou buvant dans une rivière presque tarie gémissait de s'être fait happer par la puissante mâchoire d'un crocodile caché dans les eaux boueuses, l'homme regardait cette femme qui serrait si fort son fils contre elle. Ses ridules étaient ciselées, ses traits tirés, vestiges d'une fatigue qui semblait l'habiter depuis longtemps.

— C'est comme ça depuis qu'il a trois ans. Tout va bien quelques jours, quelques semaines, puis ça lui reprend. Quand la nuit tombe, sans prévenir il réclame soudain son père et il ne dort pas avant l'aurore…

Martin Gagnon a observé l'enfant qui, sans laisser paraître aucune émotion, n'a rien raté du crocodile noyant le petit gnou, marionnette désarticulée, dans les eaux troubles pour mieux le dévorer.

— Il était très bien aujourd'hui. Quand j'ai quitté ce soir, il jouait autour du sapin avec la gardienne. Dans la soirée je l'ai appelée pour prendre des nouvelles. Martin était prostré devant la fenêtre à attendre son père. Elle a paniqué de le voir comme ça. Alors je n'ai pas eu le choix de le reprendre avec moi.

— Et un taxi l'a amené…

— Oui, j'ai appelé d'ici pendant que vous étiez à la Maison des vins. J'ai accès aux chambres, mais les téléphones sont coupés quand il n'y a pas de client. Il n'y avait donc que la vôtre d'où je pouvais appeler… Martin m'a aidé à nettoyer le sapin, puis ça l'a tanné. Je ne l'ai pas vu quitter la chambre pour aller jouer avec sa balle dans le couloir. C'est pour ça que j'étais paniquée quand nous nous sommes croisés à la porte au moment où vous êtes revenu du sauna... nu. Je l'ai retrouvé dans l'escalier de secours et quand vous êtes reparti, il a voulu revenir jouer ici.

Dans sa bulle, l'enfant n'écoutait pas les deux adultes. Il n'a pas réagi quand la femelle gnou, qui venait déjà de perdre son petit, s'est fait attraper par le guépard. Le mâle était peut-être plus gros et plus appétissant pour le prédateur, mais il avait couru beaucoup plus vite pour disparaître, sans se retourner, dans la savane.

— Martin a donc un père?

La femme de ménage, incrédule, a presque pouffé. Mais sa réponse a sonné tel un immense regret.

— Bien sûr qu'il a un père, tous les enfants ont un père...

Martin Gagnon s'est mordu la lèvre, fort. Sa main qui flattait le *tape* de son arcade blessée s'est soudain agitée. La femme n'a rien remarqué, elle venait de baisser la tête.

— C'est pas de sa faute, c'est la mienne. J'ai pas choisi le bon père. Mauvais instinct. Il n'en voulait pas mais je pensais que l'enfant le changerait. Ça n'allait pas fort entre nous, une terrible erreur. Certains hommes deviennent adultes en ayant un enfant, d'autres pas. Il m'appelle, me dit qu'il m'aime encore, promet de venir et ne vient jamais. J'ai fait une fois l'erreur de dire à Martin que son père allait passer le voir, il me l'avait juré. Et, depuis, son fils passe son temps à regarder par la fenêtre pendant que je travaille de nuit pour pouvoir étudier de jour…

La femme s'est détournée. S'il ne pouvait voir son visage, Martin Gagnon a bien compris au discret mouvement de sa main qu'elle venait d'essuyer une larme. Il y a quelques heures à peine, la vie si triste de cet enfant et de sa mère aurait suscité chez lui une simple réplique de circonstance, bien loin du cœur.

— Oh, ma pauvre… Courage ! Bon, faut que je file, là.

Parce qu'en cette nuit de Noël, les portes les plus intimes de son être avaient été ouvertes, ou plutôt forcées par effraction, et qu'aucune d'elles pour l'instant ne s'était refermée, Martin Gagnon a senti un immense courant d'air chaud en lui.

— Qu'est-ce que je peux faire pour vous aider ?

Surprise, la femme de ménage a essuyé une autre larme, ne sachant quoi répondre. À l'écran, le gnou mâle, maintenant solitaire, venait de sortir de sa cachette. Il a regardé autour de lui pour tenter de retrouver sa femelle et son petit, sans succès. Il a imaginé qu'en faisant le chemin en sens inverse, il les retrouverait peut-être, sans comprendre qu'il filait à grands pas vers la rivière boueuse, infestée de crocodiles si bien cachés sous les eaux.

La femme observait Martin Gagnon qui ne la lâchait pas des yeux, attendant réponse à sa proposition. Alors qu'elle s'apprêtait à parler, le walkie-talkie accroché à son chariot laissé dans l'entrée a lâché un bip, puis une voix a empli la suite.

—Un-deux-un-deux, ici la réception. *I repeat, one-two-one-two, the reception calling!* Me recevez-vous, Louise?

En douceur, elle s'est levée, en prenant soin d'asseoir confortablement son petit dans le fauteuil. Il n'a pas lâché des yeux l'écran de la télévision. Le gnou avait rebroussé chemin à la vue de l'eau trouble, mais surtout, il venait de découvrir une femelle, lasse de ne paître que pour elle.

—Je répète! Un-deux-un-deux, ici la réception. *The reception calling!* Me recevez-vous? À vous!

En sautillant sur la pointe des pieds pour ne pas faire claquer trop fort ses talons, Louise s'est rendue jusqu'à son chariot sur lequel étaient empilés des draps en satin jaune et une grande corbeille pleine d'orchidées. Elle a saisi son récepteur-émetteur, posé au-dessus de la pile.

— Oui, je vous reçois!

— Pourriez-vous vous identifier? À vous!

La femme a levé les yeux au ciel. C'était clair, des cons dans sa vie, elle en avait vus, mais des comme ça, rarement.

— Ici la femme de ménage! Je vous reçois cinq sur cinq. À vous la réception!

— Vous êtes où là? Je viens de téléphoner de la 812 à la 817 pour vous localiser et y a personne qui répond! À vous.

— Je suis aux toilettes. À vous.

Le concierge a semblé perdre la fréquence un instant. On a même entendu un petit grésillement, mais il est vite revenu, cinq sur cinq.

— Dès que vous quittez votre position, vous finissez de faire les lits au huitième. Je vous rappelle qu'on a quarante-huit Japonais en rut qui débarquent ce matin. Alors si vous pouviez remplir votre mission et rentrer à la base, peut-être que je penserais à revoir ma position à propos de cet avertissement à cause de cette balle rouge oubliée devant la porte de ce crétin! Suis-je clair? À vous!

— Bien reçu… Je sors des toilettes.

Louise a coupé le son du walkie-talkie pour ne plus risquer d'entendre Alexandre qui avait, à l'évidence, abandonné la carrière de détective pour épouser celle de caporal dans l'armée, brigade des télécommunications sol-sol.

— Pourquoi il dit que t'es crottin?

Les deux adultes se sont tournés d'un même mouvement vers l'enfant, dont l'écran avait enfin cessé d'être le seul centre d'intérêt. Tant mieux, le gnou, en sueur, montait sa nouvelle compagne, toujours à brouter.

— T'es crottin!

L'enfant s'est mis à rire en pointant Martin Gagnon, étrangement calme et serein, et même plutôt amusé.

— Il a pas dit que j'étais crottin, il a dit crétin.

L'enfant, déçu, a cessé de rire. Mais il a voulu savoir pourquoi.

— Ça veut dire quoi, crétin?

Martin Gagnon a tenté de se remémorer ceux qui avaient pu survivre à ses poings après une telle insulte. Il n'a retrouvé personne. Aucun survivant. Mais curieusement, à l'instant, il n'avait pas envie d'enfoncer la tête d'Alexandre dans le casier à clefs. Il a préféré trouver les mots pour répondre à l'enfant.

— Euh… ben… euh… c'est… que… euh…

— Un crétin, c'est un gentil monsieur qui a demandé comment faire pour aider maman et à qui tu réponds que ce qui sauverait maman, c'est qu'il te garde pendant qu'elle va aller préparer les chambres des tourtereaux japonais au huitième étage!

— Euh… ben… euh… c'est… que… euh…

❦

Dans le couloir, guettant l'ascenseur et la porte de l'escalier de secours au cas où le concierge tenterait une opération d'infiltration sol-air, Louise, un petit sac à dos en main, énumérait ses dernières instructions à Martin Gagnon, prêt à noter sur une feuille plaquée contre la porte de la chambre.

— En cas d'urgence, vous dites à Alexandre que vous avez brisé quelque chose dans votre chambre. Il m'appellera tout de suite avec son nouveau jouet et je viendrai au plus vite. Sinon, j'essayerai de passer voir de temps en temps si tout va bien.

— Vous pouvez me redonner la liste des activités qu'il aime bien. J'écris pas très vite et j'ai pas eu le temps de tout noter.

— Il est curieux, tout l'intéresse. Il aime parler, donc essayez d'avoir des discussions. C'est important de toujours maintenir le contact. Il aime aussi dessiner, qu'on lui raconte des histoires, qu'on lui lise des livres. Il aime aussi jouer… Mais surtout, stimulez-le. Si vous le laissez trop à lui-même, il peut soudain se renfermer.

— Essé… yé… d'a… voir… des… dis… cu… ssions…

À l'évidence, Martin Gagnon maniait bien mieux le bâton de hockey sur glace que le feutre sur papier. Alors qu'il s'interrogeait sur les mille manières d'écrire « stimulez-le », Louise l'a observé s'appliquer à tracer des lettres, avec de belles boucles. Dans les yeux de la femme, on pouvait lire une tendresse à voir cet homme, si fort et redouté, exposer sans armure sa faiblesse en se battant courageusement devant elle avec son feutre et les mots. Il transpirait de lui une vraie volonté de bien faire, mais surtout d'en apprendre, une soif fondamentale d'en savoir toujours plus sur cet enfant.

— Quand il se renferme, c'est plutôt dans une chambre, un placard… La salle de bain?

Louis a dévisagé son interlocuteur. Il ne plaisantait pas. Elle a eu la politesse de ne pas sourire.

— Sur lui-même.

— Sur… lui… mê… me! Je le note pour pas l'oublier.

Louise a tendu le petit sac à dos au scribe qui venait enfin de finir sa longue page d'écriture.

— Voilà, je pense qu'avec ça, vous en savez déjà pas mal. Là-dedans, il y a ses affaires, des jouets… Bon, là, je dois filer, sinon Alexandre va finir par nous découvrir.

Martin Gagnon a saisi le petit sac à dos tout en jetant un œil triste à sa liste d'activités.

— Quelque chose qui va pas, Martin ?

— Non, ça va, c'est juste dommage qu'il aime pas le hockey. Là, j'aurais pu l'occuper des heures… Parce que là, y a que des activités intellectuelles…

— Mais il adore le hockey !

— Ben il m'a dit le contraire.

— Ne l'oubliez jamais, Martin, c'est un enfant… Il peut vous dire une chose, mais ça n'est pas forcément ce qu'il pense ou ce qu'il a vraiment envie de vous dire. Parfois même, il peut juste vouloir vous contredire parce qu'il est de mauvaise humeur ou simplement pour s'amuser.

Martin Gagnon a contemplé Louise comme si elle venait de lui apprendre, dans l'ordre, que la Terre était carrée, que les bébés naissaient effectivement dans les choux et que la frite ne descendait pas de la pomme de terre. Une véritable révélation ! L'homme n'a pas eu le temps de se remettre de cette leçon de vie, que la vraie, avec ce qu'elle a de plus réel et concret, voire de plus bête, a repris le dessus.

— Un-deux-un-deux, ici la réception. *I repeat, one-two-one-two, the reception calling !* Me recevez-vous, Louise ?

La femme de ménage a immédiatement fait rouler le chariot, grand train, vers les portes de l'ascenseur, suivie par l'étudiant en gardiennage d'enfants qui, tout en marchant, ne l'a pas lâchée des yeux pour poser sa dernière question théorique, juste avant d'entamer les travaux pratiques.

— Pourquoi me faites-vous confiance ?

— Parce que je sens que je le peux. Mais ne vous trompez pas ou ne vous faites pas d'idées, je suis une mère. C'est uniquement à mon fils que je pense…

━━━━◟

Dans le fauteuil, l'enfant regardait les premiers pas d'un petit gnou, fruit de l'accouplement, bien loin de la rivière, du mâle nouvellement célibataire et de cette femelle solitaire qui s'ennuyait tant à brouter. Martin Gagnon a consulté la liste de Louise pour faire le choix de la première activité. Il n'a pas hésité, Louise le lui avait bien dit, il fallait maintenir le contact et, dans son cas, plutôt l'établir.

— Ta mère m'a dit que tu aimais beaucoup parler. Tu sais que moi c'est pareil, j'adore discuter. Je suis très curieux. Tout m'intéresse. Alors, si tu as des questions et qu'il y a quelque chose dont tu veux parler, ben, nous pouvons… euh… en parler.

Avant de choisir cette activité, il aurait mieux fait d'observer ce qui fascinait tant l'enfant sur l'écran de la télévision.

— Pourquoi il arrête pas de faire ça?

Le gnou, définition même de la résilience amo-
rale en milieu naturel, avait déjà quitté sa dernière
femelle et son petit pour en monter une autre, plus
jeune, qui avait pour seul point commun avec son
ex de brouter avec frénésie malgré les coups de
butoir de son vigoureux mâle. Quand la femelle a
relevé la tête, lasse de mâcher et certainement
repue, le mâle s'est défait de son train pour aller
honorer une de ses congénères qui, elle, venait à
peine de plonger son museau dans l'herbe.

— Mais pourquoi il fait ça à tout le monde?

— …

— Tu veux plus qu'on parle?

— Oui, oui, je veux qu'on parle…

— Alors pourquoi tu dis rien?

— C'est juste que je sais pas pourquoi il fait ça à
tout le monde, j'essaye juste de réfléchir pour pas
dire n'importe quoi.

Le gnou, gaillard et increvable, courait maintenant vers celle qui ignorait être sa nouvelle
conquête pour avoir eu le malheur de vouloir
assouvir sa petite fringale sans regarder en arrière.
Ce mâle, à l'appétit sans fin et au fétichisme évident, dans lequel il ne pouvait que se reconnaître,
aurait dû faire pleurer de rire Martin Gagnon. Mais
c'était de hurler, qu'il avait envie.

— J'en reviens juste pas qu'ils montrent ça une nuit de Noël! En plus, y a des enfants devant la télé!

Le petit, à la vue de l'adulte qui maugréait à voir le gnou parachever son œuvre à l'ombre d'un baobab, où pourtant il n'y avait pas tant d'herbe que cela, s'est levé avec un grand sourire. Complice, il s'est approché de l'oreille de son gardien averti pour y chuchoter.

— Moi, je sais ce qu'il fait... Il leur fait des bébés!

Dans les petits yeux rieurs posés sur lui, Martin Gagnon a vu un petit gnou qui ne connaissait pas son père. Il aurait voulu le prendre dans ses bras, non pour lui dire qu'il en avait enfin un, mais simplement pour qu'il sache que quelqu'un l'aimait et penserait toujours à lui.

— Et toi, tu as un enfant?

Sur l'écran de la télévision, le gnou n'en menait plus vraiment large. Ce n'était plus derrière une femelle qu'il s'agitait, mais devait un autre mâle, vraiment plus gros que lui, très fâché de l'avoir découvert au train de sa belle qui broutait en l'attendant. Le combat n'a pas duré. Le plus faible, certainement épuisé d'avoir consacré ses forces les plus vives à honorer les femelles de tous et de chacun, s'est lâchement enfui pour disparaître dans les herbes hautes.

— Alors, t'as des enfants ou pas, toi?

— Euh… Peut-être.

L'enfant a fixé Martin Gagnon, inquiet de ne pas trouver dans le regard de l'adulte cette certitude des aînés qui savent ce que les plus jeunes ignorent.

— C'est plate de parler avec toi.

Martin Gagnon a approuvé, convenant ainsi qu'il n'avait pas été à son meilleur dans cette discipline, le dialogue. Il en a attribué la cause à des éléments indépendants de sa volonté, essentiellement ce gnou venu d'Afrique qui, par son comportement indéfendable, l'avait laissé sans voix. Il n'a donc pas voulu laisser le temps au doute et à l'amertume de s'installer, préférant rapidement se ressaisir. Enfin, il s'est plutôt vite emparé de la liste des activités qui était pliée dans sa poche. Il les a énumérées à haute voix. L'enfant, comme tout bon client difficile, n'a pas choisi un plat qui figurait au menu, il a préféré choisir à la carte.

— Mes cadeaux!

— Quoi?

— Ben, je veux mes cadeaux.

Martin Gagnon s'est senti comme s'il était en haut du plongeoir de la grande piscine du Stade olympique, sans maillot de bain.

— Tes cadeaux?

L'enfant a vu l'effroi sur le visage de l'homme et lui a tendu la perche, pour qu'à défaut de se rhabiller, il puisse au moins s'y accrocher.

— Je sais que le père Noël en a amené ici pour moi. Je les ai vus quand je suis venu avec maman quand t'étais pas là.

À peine descendu du tremplin, et rhabillé, l'homme sauvé des eaux s'en est d'abord pris à lui-même.

— Les cadeaux! Mais comment n'y ai-je pas pensé?

L'enfant, déjà excité à l'idée de les ouvrir, a plaidé l'évidence.

— Je suis sûr qu'ils sont pour moi, sinon je serais pas ici. Pas vrai?

Ce raisonnement logique, outre de démontrer une nouvelle fois au grand homme que dans cette petite tête il y en avait beaucoup, lui a prouvé hors de tout doute que cet enfant n'était pas là par hasard. C'était le destin qui l'avait fait venir. Martin Gagnon n'a pu s'empêcher de remercier intérieurement l'homme saoul de la Maison des vins qui lui avait indiqué le seul magasin de jouets ouvert si tard à Montréal, Le Paradis des Jouets, et l'ensemble de son personnel pour les judicieux conseils; Georges D'Amour de ne pas avoir laissé de message à l'hôtel; sa femme Julie de l'avoir rejeté de sa maison ; une nouvelle fois Georges D'Amour pour s'être soumis aux ordres de sa femme ; et, enfin, Pierre-Léon pour avoir refusé ces paquets dont il ne voulait plus. Le destin, dont l'on se pense maître, n'est généralement que la conséquence des actions d'autrui. Il ne faut jamais croire que parce qu'on n'y est pour rien, il ne nous offre pas le meilleur de la vie.

— Bien sûr que les cadeaux sont pour toi !

— Je le savais !

— Bouge pas, je vais les chercher !

— Non !

— Comment ça, non ?

— Faut que ça soit le père Noël qui les amène.

Martin Gagnon s'est de nouveau senti sans maillot de bain sur le plongeoir de la piscine olympique. Mais là, en plus, enfin, plutôt en moins, il n'y avait pas d'eau dans le bassin.

— Il est déjà passé. Je lui ai dit que tu n'étais pas là et que j'allais te les donner.

— Je veux que ce soit le père Noël qui me les donne !

Perché tout là-haut, sur son plongeoir, il a attendu qu'on lui lance une bouée. L'enfant n'a pas bronché.

— T'es sûr ? Tu veux vraiment que ce soit le père Noël… Le vrai ?

Mais qu'est-ce que tu fais là, tout seul?

— Il est pas vrai?

— Non, non, il est toujours vrai! C'est pas ça que je voulais dire… Bon, ben, d'accord, c'est lui qui va t'amener tes cadeaux… Le père Noël en personne.

JE VEUX PLUS TE VOIR,
T'AS COMPRIS ?

Dans la cabine de l'ascenseur, Martin se préparait à un rude affrontement avec le concierge. Mais par la force ou la négociation, il repartirait avec ce qu'il était venu chercher. Afin de ne rien oublier, il avait rédigé une nouvelle liste, sans que personne la lui dicte. Habitué aux sautes d'humeur et aux décisions à l'emporte-pièce, de savoir que dans sa poche gauche, la droite étant réservée aux activités pédagogiques du petit Martin, il était noté pourquoi et comment il se devait d'agir lui donnait le sentiment de ne plus risquer de se perdre.

— Y a pas à dire, un enfant ça change un homme !

Pour le moment, si l'homme se devait de changer, c'était en père Noël qu'il se transformerait.

— C'est juste que je sais toujours pas avec quoi je vais pouvoir faire ma barbe blanche...

Plus tôt, alors que l'enfant jouait au pied du sapin avec des figurines des Tortues Ninja sorties de son petit sac à dos, il avait puisé dans une imagination qu'il ignorait posséder.

— Ma tunique et ma tuque, ça va être les rideaux. Ma ceinture, celle de ma robe de chambre. La lisière blanche au bord de la capuche, les draps du lit. Ma hotte : mon sac de hockey. Et ma canne, un de mes bâtons... Mais pour la barbe, j'ai toujours pas trouvé !

L'ascenseur allait atteindre le rez-de-chaussée. Il avait laissé son petit Martin seul dans la chambre et cela ne figurait pas dans la liste qu'avait laissée Louise. Pour ne pas l'inquiéter, ou risquer de se voir retirer cette garde à laquelle il tenait tant, il avait fait escale au huitième.

— Louise, un imprévu !

Tout en déposant sur les draps de satin jaune deux kimonos, un rose et un bleu, saupoudrés d'orchidées, la femme de ménage avait écouté avec attention Martin Gagnon. Elle s'était, bien entendu, d'abord inquiétée de savoir son enfant seul, mais après avoir découvert la liste des actions posées par ce gardien providentiel, elle avait dû concéder qu'il avait vraiment pensé à tout.

— J'ai éteint la télévision. Un, c'est pas bon pour les enfants de trop l'écouter. Deux, comme le canal est bloqué sur celui des documentaires, j'ai vraiment eu peur qu'ils nous remontrent le gnou. J'ose même pas vous en parler.

Avec une assurance remarquable, du haut de ses trente minutes d'expérience dans la garde d'enfant en solitaire hors de son milieu naturel, l'homme pressé avait enchaîné en annonçant que le petit Martin était sagement en train de dessiner. Il avait juste concédé l'usage d'un produit pourtant proscrit, tant ses effets permettent d'améliorer les performances chez l'enfant : le chantage affectif. Ou plutôt, le dopage affectif.

— Ça me ferait tellement plaisir que tu me dessines une Tortue Ninja, tu peux pas savoir !

— C'est vrai ? Tu veux laquelle ?

— Euh…

— Bon, je vais toutes te les dessiner. Tu vas en avoir partout !

— Tu ferais ça pour moi, vraiment ?

Quand Martin Gagnon s'était approché de Louise pour lui confier les raisons de son machiavélique stratagème, elle avait vraiment failli pleurer tellement elle était émue.

— Vous allez faire le père Noël rien que pour lui ?

Comme tant de parents célibataires, elle vivait la perpétuelle culpabilité de penser que même en faisant le double pour son enfant, il ne recevait jamais plus de la moitié de ce qu'avaient les autres. D'imaginer le bonheur à venir de son fils lui avait fait plier un kimono bleu de travers. En prenant soin de le remettre droit, elle avait chuchoté sans chercher à y mettre une quelconque conviction.

— Ne le gâtez pas trop, tout de même…

Quand Martin Gagnon avait énuméré la liste des éléments qui constitueraient son costume de père Noël, elle s'était toutefois un peu inquiétée.

— C'est peut-être pas une très bonne idée de vous en prendre aux rideaux?

— Louise, réfléchissez. Entre trouver un loueur de costumes à cette heure-ci et payer les rideaux demain matin, ça va me revenir au même prix et ça ira beaucoup plus vite. Pis c'est ça ou pas de père Noël pour Martin.

— Vous êtes certain qu'il ne va pas vous reconnaître?

— Ben, pourquoi vous me dites ça?

Devant la mine immédiatement inquiète de l'homme, Louise l'avait rassuré tout en se demandant si des deux Martin, le plus grand n'était pas celui qui ce soir voulait croire le plus fort au père Noël.

✦

L'ascenseur a ralenti. Le «ding» a signalé son arrivée dans le grand hall vide. Mais on ne l'a pas vraiment entendu, quelqu'un y parlait beaucoup trop fort.

— Un-deux-un-deux, ici la réception. *I repeat, one-two-one-two, the reception calling!* Me recevez-vous cinq sur cinq. À vous?

À l'autre bout des ondes, au huitième étage, on captait, mais guère mieux que deux sur cinq.

— Ça va faire, là! J'ai pas le temps de déplier un drap ou de sortir un kimono que vous me parlez pendant dix minutes!

Martin Gagnon s'est caché derrière l'une des grandes colonnes. En se penchant, il a remarqué Charles-David, mal à l'aise, devant le commandant en chef des clefs qui venait de déplier une grande carte devant lui.

— Je viens de revoir ma stratégie en étudiant le plan de l'hôtel. Vous avez attaqué les Japonais par l'est, en laissant à découvert l'aile ouest. Pour mener votre mission à bien, je vais vous envoyer du renfort. Charles-David vous servira d'aide de camp. La convention collective ne lui permettant pas de faire les lits à votre place, je lui ai donné comme mission de pousser votre chariot et de vérifier si vous ne commettez pas trop d'erreurs tactiques dans la mise en bataille des kimonos et le bombardement d'orchidées. Il agira comme mon troisième œil, une sorte de caméra laser ou, mieux encore, une division de

renseignements infiltrée. Donc, je viens de lui signifier son ordre de mission. Pour qu'il puisse rejoindre
immédiatement sa cible, pourriez-vous me donner
votre position? À vous.

À partir de là, la communication interperson-
nelle, mèche courte, entre travailleurs syndiqués,
est passée d'un coup à zéro sur cinq. Mais comme
la voix du soldat Louise a vraiment crié fort, ça a
résonné dans tout le hall.

— Là, mon épais, tu vas me crisser patience avec
ton jouet! Si tu me rappelles encore une fois, je
décâlisse d'icitte, et demain matin, tu vas te
démerder avec tes Japonais en chaleur!

Le concierge, tenant tout de même à avoir le
dernier mot, question de grade, s'est gratté le front
pour chercher quoi rétorquer. Il a trouvé, mais cette
fois, il ne l'a pas crié fort.

— Euh, Louise, vous avez pas dit "à vous".

Le grand hall est redevenu silencieux. Martin
Gagnon a voulu en profiter pour sortir de sa
planque, mais un bruit, reconnaissable entre mille,
l'a arrêté. Pitch! Le son caractéristique d'un bou-
chon de liège chassé de son goulot venait de
résonner, suivi de celui d'un liquide qui coulait à
grand flot dans un réceptacle. L'oreille experte n'a
pas douté une seule goutte. Le concierge remplis-
sait un verre. À cet instant, l'homme, qui en avait

vu couler des litres, a compris que l'ennemi s'était mis à découvert et que la peur allait assurément changer de camp. Il s'est dégagé de la colonne, pas la cinquième, la première, et il a marché d'un pas décidé vers la réception. Cette attaque furtive a pris à revers le concierge qui, dos tourné, buvait d'une traite un verre de vin rouge. Au bruit des pas approchant de lui, il s'est retourné. Courageux, bouteille et verre vide en main, il a fait face, tentant une ultime manœuvre de diversion.

— Oh, monsieur Gagnon, quelle bonne surprise de vous voir… hips ! Vous avez un bout de *tape* sur le front, voulez-vous que je demande à Charles-David de vous l'enlever ?

— Fais-moi voir la bouteille !

— Où ça, une bouteille ?

L'enquête a été rondement menée tant les preuves étaient accablantes. Outre la bouteille à peine entamée, dans la corbeille gisait le cadavre de celle qui l'avait précédée sur le comptoir. Le suspect a avoué et a plaidé coupable en se cherchant, tout de même, quelques circonstances atténuantes.

— Je suis désolé, monsieur Gagnon, le stress… hips ! J'ai craqué, quoi. J'ai ouvert le coffre-fort sans vraiment y penser. J'ai vu vos bouteilles, l'une d'elles était ouverte, et je ne sais pas ce qui m'a pris… Une sorte d'engrenage, un verre, puis un autre… Une folie passagère. Nous côtoyons le luxe mais ne fai-sons que le regarder… Du Cheval Blanc, misère, j'en avais jamais bu… Un manque évident de dis-cernement que je regrette tant. Hips! Je vous prie de m'en excuser et je vous le demande, vous en supplie même, si vous pouviez garder cela pour vous, il me ferait plaisir de vous obliger autant que je le peux, en toute discrétion, bien entendu… hips!

Martin Gagnon a laissé au concierge le droit de s'asseoir et de se verser un dernier verre, celui du condamné. Tout en se préparant à énoncer son verdict, il a savouré de vivre son plus beau Noël, avec ses cadeaux et ses surprises, mais surtout, ses vœux qui s'exaucent.

— Alexandre, voilà ce que tu vas faire pour moi.

❧

Dix minutes plus tard, Martin Gagnon entrait dans la cabine de l'ascenseur, suivi de Charles-David poussant son chariot doré. Sur le feutre rouge, le groom tentait de maintenir debout le grand sapin, orné de ses boules et de ses guirlandes, qui trônait peu de temps auparavant dans le hall.

— Franchement, t'as déjà vu un Noël avec un petit sapin de merde comme vous m'avez mis là-haut?

Avant que les portes coulissantes ne se ferment, le concierge a pris soin de plier délicatement une branche qui menaçait de se briser dans l'étau de métal. Portant dans sa main un gros sac, Alexandre a tenté d'entrer lui aussi dans la cabine. Mais de peur de briser quelques boules, il a renoncé.

— Je vais y aller à pied… hips! Je vous attends en haut!

Charles-David a pressé sur le 9, la cabine a commencé sa lente ascension. À travers les branches du sapin, Martin Gagnon regardait le jeune groom, tout rouge, qui tentait désespérément de ne pas éclater de rire.

— Tu lui as bien fermé son caquet, là, quand tu lui as dit combien il te devait pour les deux bouteilles.

Au moment du prononcé du verdict, devant la menace de rembourser à l'instant, pas en chèque, mais cash, le concierge s'était littéralement effondré. Il avait raconté sa vie, celle d'un pauvre homme qui vivait toujours avec trois chats et sa vieille mère sourde comme un pot.

— Le problème, c'est qu'elle a toujours adoré l'opéra. Alors, quand je rentre à la maison le matin, et jusqu'à ce que je reparte travailler à l'hôtel le soir, malgré mes suppliques, y a Carmen qui joue en boucle. Hips! Mes rêves sont pleins de taureaux qui ont la tête de Maria Callas, avec un seul, mais énorme, testicule, qui chargent vers un grand trou noir dans lequel se baignent des toreros en maillot de bain à paillettes, alors que sur les bords, des danseuses de flamenco, avec un seul sein, mais un gros, disparaissent dès que je m'en approche !

Tout en décrivant ses rêves les plus intimes, le concierge était allé jusqu'à mimer les danseuses de flamenco. Martin Gagnon s'était pincé. Non, il ne rêvait pas. Cette situation était surréaliste, à vrai dire totalement impossible. Mais à bien y penser, tout ce qui se passait depuis son arrivée ici l'était. Alors, il a continué d'écouter la complainte.

— Évidemment, ça joue sur mon caractère et mes attitudes dans mon travail, et je l'avoue, j'ai parfois tendance à me laisser aller quand une bouteille a mal été refermée. Si le directeur me congédie et que je dois vous rembourser ces trésors de la viticulture française, il me faudra annuler la commande d'un cornet électronique, dernier cri, qui permettrait à ma mère de recouvrer quarante-cinq pour cent de son audition dans l'oreille droite. Des heures de sommeil pour moi. Je vous en supplie. Hips ! Allez, s'iou plaît, m'sieur ?

Parce que les jugements doivent se rendre sans que les sentiments influent, Martin Gagnon avait retenu comme circonstance atténuante la vie si noire du concierge le jour pour expliquer pourquoi il recherchait la lumière la nuit. Un élément à décharge qu'il pouvait recevoir et comprendre mieux que quiconque. Pour ce motif, il l'avait acquitté de sa dette.

— Tendez-moi votre main que je baise votre bague de la coupe Stanley, monseigneur ! Ah, ben ça alors, vous n'avez plus de bague !

Au neuvième, ça n'est pas Alexandre qui a accueilli Charles-David et Martin Gagnon, mais une sorte de taureau, dont les naseaux soufflaient de l'air après qu'il eut grimpé les escaliers des neuf étages au pas de course.

— Y a pas à dire, ça dessoûle… hips !

Alors que le groom sortait avec précaution le chariot de la cabine de l'ascenseur, Alexandre, toujours aussi fumant, s'est approché de Martin Gagnon.

— J'ai longuement réfléchi en montant les escaliers. Si jamais vous voulez faire la fête, inviter du monde, je ne sais quoi, je ne sais qui, n'hésitez pas. Oubliez ce qu'a dit le directeur ou moi-même. Je vous le dis, à partir de maintenant, je ferme les yeux, je n'entends plus rien. Je suis une tombe !

Martin Gagnon s'est surpris à penser qu'il avait bien moins détesté cet homme quand il lui résistait, se tenant malgré tout debout, qu'à le voir ramper ainsi à ses pieds. Alexandre n'a rien vu, ou rien voulu voir, il s'est approché en prenant l'intonation sifflante des plus vils conspirateurs.

— Alors voilà votre sac, tout y est! Ciseaux, colle Crazy Glue, agrafeuse, épingles à nourrice, fil à coudre... Un jus d'orange et une barre de chocolat... Vous avez de la chance, je les ai volés dans le vestiaire de notre professeur de sports de combat. Ô mon Dieu, prions qu'il n'en sache rien! Si vous avez besoin de quoi que ce soit d'autre, vous savez à qui demander. Il y a également une télécommande neuve. Je vous présente d'ailleurs mes excuses au nom du directeur et de l'ensemble du personnel pour ce bris inexpliqué qui, je l'espère, n'a pas gâché votre séjour!

Martin Gagnon n'a pas eu la force de remercier l'homme qui quémandait sa caresse. Il a marché vers sa chambre, suivi par Charles-David, le chariot et le sapin. Alexandre, à ce moment, aurait mieux fait de disparaître et de la fermer, mais il n'en a pas été capable. Ce fameux naturel qui revient toujours au galop. Dans son cas, au quadruple.

— Juste comme ça, juste pour savoir, curiosité toute personnelle, ça restera entre nous, mais pourquoi vous avez besoin de tout ça? C'est vrai, ça, c'est bizarre quand même...

Martin Gagnon a marmonné entre ses dents.

— Mon hostie de tabarnak…

— À votre service !

— Elles coûtaient combien, déjà, les deux bouteilles de vin que tu m'as vidées ?

— Gloup…

Le client a inspiré jusqu'à s'en faire exploser les
poumons. Il les a vidés d'un coup, en mettant le
volume au maximum.

— Je veux plus te voir, t'as compris ?

SURPRISE !

Martin Gagnon s'est regardé une dernière fois dans le miroir accroché en face de l'ascenseur. À ses côtés, Charles-David, un oreiller éventré à ses pieds, lui collait sur la joue une dernière plume d'oie.

— Franchement, je saurais pas que c'est moi, j'y croirais !

— Tu peux arrêter de parler, je viens de te coller une plume sur l'oreille ! Attention, je l'enlève…

— Aïe !

Le groom a sursauté au petit cri poussé par le hockeyeur réputé si dur à la douleur. Il a placé la plume sur la joue pour qu'elle recouvre les poils noirs de l'homme en rouge. En refermant le tube de Crazy Glue, il a discrètement posé les yeux sur l'emballage pour y lire ce qui aurait pu lui échapper, avant usage. Il a découvert que le fabricant était si confiant en son produit, qualifié d'Extra-Super-

Fort, qu'il promettait un lot de dix nouveaux tubes, livrés sans frais à domicile, à tout utilisateur qui verrait un objet se décoller après une année.

— Charles-David, touche comme elle est douce ma barbe avec les plumes. T'sé, on a bien fait de pas prendre le crin du matelas… Imagine s'il veut donner un bec au père Noël ?

Charles-David s'est empressé de cacher le tube de colle dans sa poche. De sa main délicate, il a épousseté les brins de plume qui avaient volé sur les rideaux rouges faisant office de manteau. Il en a fait de même sur la tuque qu'il a nettoyée jusqu'au pompon blanc, également fait de plumes d'oie. Il a dû se rendre à l'évidence, le fabricant ne mentait pas. Malgré qu'il les ait énergiquement frottées, aucune d'elles ne s'est décollée.

— Tu as bien mis le sapin où je t'ai dit ?

— Oui, à côté du fauteuil pour que tu puisses t'asseoir dessus si jamais il veut s'installer sur tes genoux.

— Tu as bien mis tous les jouets dans le sac de hockey ?

— Oui, tous.

— Tu lui as bien répété qu'il fallait qu'il finisse sagement ses dessins de Tortues Ninja en attendant le père Noël ?

— C'est que… euh… il les avait déjà finis.

— T'as une voix bizarre. Il voulait plus dessiner?

— Ah, non... Pour dessiner, ça, il arrêtait pas... de dessiner... J'ai même dû lui dire qu'il pouvait peut-être arrêter.

— Ah bon, pourquoi?

Charles-David a été sauvé par le gong, ou plutôt sauvé par les coups frappés sur la porte de la suite 919, dans laquelle régnait une certaine agitation. Surtout qu'aux coups se sont ajoutés des cris.

— Père Noël! Père Noël! Père Noël!

Martin Gagnon a saisi les sangles de son sac de hockey prêt à exploser tant il contenait de cadeaux. Il a soulevé sa hotte de fortune puis l'a tendue au groom pour que celui-ci l'aide à l'enfiler.

— Vite, dépêche-toi, passe mes bras dans les poignées que je puisse me le mettre sur le dos!

L'opération de levage de ce qui ressemblait plus à une benne qu'à une hotte a réussi du premier coup. L'homme en rouge s'est alors tourné vers le groom qui, même rehaussé de sa casquette, apparaissait comme un lutin tant le père Noël semblait immense devant lui.

— Dis-moi, tout est bon?

Charles-David a étudié le déguisement avec attention. Dans les circonstances, le rendu était remarquable, même si on pouvait légitimement se demander si le père Noël n'avait pas choisi pour

son apparition de passer par le lave-linge, programme essorage poussé au maximum, plutôt que
par la cheminée. Le jeune homme, inspection
terminée, a remonté les yeux jusqu'à ceux de
Martin Gagnon et ne les a plus quittés.

— Tu m'inquiètes, là, qu'est-ce qui va pas?

— Je voulais juste te dire que je trouve ça vraiment bien ce que tu fais.

Martin Gagnon a été sauvé par sa barbe en
plume, Charles-David ne pouvant voir ses joues
rosies par le compliment. Devant le silence du père
Noël, le groom a passé la seconde couche.

— Je la connais pas depuis bien longtemps, mais
elle est vraiment gentille, Louise.

L'homme en rouge n'a pas trop su comment
interpréter ces propos. Mais dans le doute, il a
souhaité préciser les motivations de son habile
camouflage.

— Oui, oui, elle est gentille. Mais tu sais, c'est
pour l'enfant que je fais ça... Bon, va la voir en-
dessous et dis-lui que tout est sous contrôle.

— Bonne chance, Lagagne.

Le groom s'est engagé dans l'escalier de secours
pour y dévaler les marches jusqu'aux lupanars nippons en cours de construction, au huitième. Martin
Gagnon, enfin le père Noël, a quant à lui marché
vers la 919 en frappant fort le sol de ses pieds pour

s'assurer qu'on l'entende. Derrière la porte, l'excitation était à son comble.

— Le père Noël arrive ! Le père Noël arrive ! Le père Noël arrive !

L'enfant a roulé des yeux et s'est littéralement statufié quand l'homme en rouge, portant sa lourde hotte, est entré dans la suite. Mais au fur et à mesure que celui-ci s'est approché et qu'il a pu mieux contempler sa tenue, la stupeur a progressivement fait place à l'interrogation, puis à l'inquiétude. Il a reculé de quelques petits pas et il s'est placé derrière le fauteuil, prêt à s'y cacher.

— T'es bien le vrai père Noël ?

Celui dont jamais personne ne doute, et surtout pas un enfant devant un sapin, a lui-même douté un instant. Mais il a eu la bonne idée de donner de la voix, pour faire ambiance.

— Mais oui, mon enfant, je suis le père Noël. Qui c'est que tu veux que je soââ ?

La voix grave et rocailleuse, la même que l'on entend à la radio ou dans les grands magasins au mois de décembre, a rassuré le petit Martin. Il s'est assis au pied du grand sapin dont la cime pliait sous le plafond, pourtant bien haut.

— Tu as mes jouets, père Noël ?

— Oh, mais tu es bien pressé mon enfant… Il faut d'abord que je te pose quelques questions pour savoir qui tu es et si tu as bien mérité tes cadeaux. Alors, dis-moââ…

Si le père Noël avait préparé son texte, il n'a pas eu le temps d'en réciter une ligne, car l'enfant, aussi, avait bien appris le sien. Sans attendre, il l'a déclamé sur un ton monocorde, comme une machine à débiter les mots.

— Je m'appelle Martin, j'ai sept ans, j'habite à Montréal, j'ai pas de frères et sœurs, je travaille très bien à l'école, je suis gentil avec tous mes amis, j'ai été un peu malade il y a un mois mais ça va mieux, je range bien ma chambre et je fais mon lit tout seul, je promène souvent le chien de ma vieille voisine parce qu'elle n'a rien qu'une jambe, je me brosse les dents tous les soirs, j'aide toujours ma maman à remonter les sacs d'épicerie ! Et pis y a une semaine, j'ai donné les vingt-cinq sous de mon argent de poche à un monsieur qu'avait faim dans la rue !

Là, ça a coupé le sifflet à l'homme qui portait la hotte. Il y a eu comme un petit interlude. Un silence. Il a pensé chanter *Petit papa Noël*, mais il ne se souvenait plus des paroles. Alors, il a cherché l'inspiration ailleurs. Les feuilles blanches, sur la table basse, ont rebranché le canal son.

— On m'a dit que tu dessinais très bien, mais je les vois pas, tes dessins à toââ ?

— C'est parce qu'ils sont derrière.

— Aaahhh! J'ai bien hâte de voir comme tu dessines, toââ.

Le père Noël, tout sourire, s'est retourné. Le souffle coupé, il a eu besoin de s'écrouler dans le fauteuil, sans même prendre soin d'enlever sa hotte.

— Je les ai faits pour mon ami Martin!

Le père Noël s'est frotté nerveusement la barbe, enfin, les plumes. Aucune d'elles ne s'est décollée.

— C'est quoi… çoââ?

— Une fresque murale!

— Ah...

— Je l'ai faite tout seul!

— Wow…

Il y avait de quoi être impressionné. Sur le grand mur blanc du salon, entre les tableaux, quatre énormes Tortues Ninja recouvraient toute la surface. L'artiste en herbe a admiré un instant son travail et s'en est approché pour faire les présentations.

— Ça, c'est Donatello, lui c'est Leonardo, ici c'est Michelangelo, et au bout, c'est Raphael!

— Wow…

Le style du trait oscillait entre réalisme, pour l'ambition figurative de l'œuvre, mâtiné d'un brin d'impressionnisme pour la taille démesurée des personnages qui tenaient pourtant, dans la vraie vie, debout dans un écran de télévision. On pouvait également observer un savant mélange d'abstraction et d'art naïf dans le rendu de certains détails, afin que le public puisse questionner la vision du peintre.

— Pourquoi Leonardo il tient un bâton avec son pied?

— C'est pas son pied, c'est sa main. Pis c'est pas un bâton, c'est un Ninjatos, son arme magique!

On ne pouvait reprocher à l'enfant de ne pas s'être appliqué. Il avait pris soin de colorier, sans déborder du trait, les bandeaux sur les yeux, les ceintures et les carapaces. Devant le père Noël qui ne trouvait plus ses mots, l'enfant a éprouvé le besoin d'expliquer plus en détail sa démarche créative qui fleurait bon l'humanisme sur fond de collectivisme pour un grand idéal.

— On fait des fresques à l'école dans les activités dépagogiques de groupe pour qu'on soit bons camarades.

— C'est bien, ça… euh… çoââ.

— Je l'ai fait pour mon ami Martin!

Le père Noël a eu besoin de s'affaler plus encore dans le fauteuil, tant son cœur lui pesait à battre soudain si fort le bonheur. Le bonheur n'ayant pas de prix et l'argent ne faisant pas le bonheur, il a décidé que quel que soit le montant de la facture pour remettre la chambre à neuf, ça en valait la

peine, tant le geste était beau et, surtout, désinté-
ressé. Les yeux humides à contempler la fresque, il
a mis du temps à sentir la petite main qui lui tapait
l'épaule. Essuyant une larme, il s'est tourné vers
l'enfant et il a vu ses yeux rivés sur la hotte.

— Tu veux voir ce que j'ai amené pour toââ?

Fasciné, Martin Gagnon savourait les cris de joie
de l'enfant qui emplissaient la pièce chaque fois que
la petite main arrachait frénétiquement le papier
coloré enveloppant les paquets pour le jeter dans les
airs sans même prendre le temps de le chiffonner.

— Encore une console Nintendo, ça m'en fait
deux!

L'enfant, à ne pas croire que tout cela était bien
vrai, offrait un spectacle justifiant toutes les sueurs,
les désagréments, et même les petites douleurs. Le
père Noël a passé la main dans sa barbe tant la peau
de sa joue le démangeait. Outre que la colle n'avait
peut-être pas fini de durcir, il s'inquiétait d'une
possible allergie à la plume d'oie.

— Encore une console Nintendo, ça m'en fait
trois!

L'innocence de l'enfance, c'est la faculté de se
persuader que rien n'est impossible. Elle magnifie

la force de l'instant présent, car elle repose sur la pureté de croire à la magie sans qu'aucune réalité la filtre.

— Ça doââ être ma secrétaire qu'a passé troââ fois la même commande dans la télécopieuse pour ma tournée de ce soââr…

L'innocence de l'enfance, c'est aussi la faculté de ne jamais s'engluer dans le concret sous peine de voir la magie s'envoler.

— Il a pas de secrétaire, le père Noël, c'est des petits lutins qui font le travail !

Tout en essayant d'arracher discrètement une plume de son menton, l'homme a regardé l'enfant sortant d'autres paquets enrubannés du sac de hockey, qui semblait sans fond.

— Oh, un fusil !

— Oh, une mitraillette !

— Oh, encore un fusil, pis là une épée !

Martin Gagnon n'a pu s'empêcher de remonter le temps. Il s'est souvenu de ses Noëls sans surprise, quand l'unique boîte qu'il ouvrait contenait sa rituelle paire de patins de hockey. Chaque réveillon, il feignait la joie et la surprise pour ne pas décevoir son père, puis il se jetait sur la boîte de chocolats de sa mère.

— Oh, un costume de cow-boy !

— Oh, une mitraillette !

— Oh, un fusil!

Dans le brouhaha de la joie, le père Noël a senti une présence. La porte de la suite était légèrement entrebâillée et laissait entrevoir la moitié du visage de Louise. À l'homme en rouge qui se demandait comment elle avait pu l'ouvrir, elle a brandi son passe-partout avant de revenir au spectacle de son fils pataugeant dans le bonheur au milieu des papiers d'emballage déchirés.

— Un jeu vidéo!

— Encore un jeu vidéo!

— Encore un autre jeu vidéo!

— Wow, tout ça de jeux vidéo!

Après avoir savouré la scène, la mère a posé ses yeux sur l'homme qui s'était sacrifié pour offrir ce moment unique à la chair de sa chair. Elle l'a fixé avec une reconnaissance qui, nul doute, deviendrait éternelle. Quand elle a remarqué les plumes d'oie sur son visage et les doigts qui s'escrimaient à en décoller l'une d'elles, elle a pincé ses lèvres, non sous le coup de l'émotion, mais tout simplement parce qu'elle ne parvenait plus à contenir un fou rire naissant. Elle a préféré s'éclipser, le saluant avec grâce. Sous le sapin, la hotte venait de délivrer son dernier secret.

— Oh, une chaussette sale… C'est quoi ça, père Noël?

Martin Gagnon s'est rendu compte que s'il avait envisagé, grâce à sa liste, comment opérer son entrée et sa distribution de jouets, il avait omis de penser à sa retraite.

— Bon, ben je vais y aller… moââ.

— Bon voyage au pôle Nord !

— Faut pas que je traîne, j'ai de la route, pis c'est de nuit.

— Fais attention dans le ciel !

Le père Noël s'est dirigé vers la porte. L'enfant a couru derrière lui pour le rattraper et se jeter dans ses bras. Agrippé à ses épaules, il y a même posé la tête.

— C'était le plus beau Noël de ma vie !

— Moi aussi…

— Tu reviendras l'année prochaine ?

— Si t'as envie, oh ben oui !

— Je t'adore, père Noël !

Aux mouvements des plumes d'oie ondulant sur les joues de Martin Gagnon, on devinait qu'à serrer l'enfant reconnaissant, l'émotion l'avait encore gagné. Cet instant valait toutes les récompenses, presque plus qu'une coupe Stanley. Non, il valait bien plus. La Coupe, on la partage ; la reconnaissance, on la savoure au plus profond de soi. Ses bras musclés ont collé à lui, encore plus fort, l'enfant.

— Tu me serres trop, Lagagne ! Tu me fais mal…

Le père Noël a desserré son étreinte, mais il a tout de suite tenté de retenir l'instant, de revenir à cette seconde magique où tout était si beau.

— Je ne suis pas Lagagne, je suis le père Noël, moââ.

— Mais non, je sais que c'est toi.

Le père Noël a laissé descendre le petit détective et s'est assis, les épaules basses, se demandant comment il avait bien pu être démasqué.

— T'as pas changé de chaussures.

Martin Gagnon s'est donné une claque sur le front. Comment avait-il pu ne pas y penser ?

— Pis t'as bien fait ça, mais ta voix, je l'ai reconnue quand même.

Les épaules de Martin Gagnon se sont encore affaissées.

— Pis, t'étais pas là avec moi, alors c'était pas normal.

Martin Gagnon a expiré tout l'air de ses poumons, en baissant ses épaules d'un étage encore.

— Pis, le père Noël, il a pas une barbe en plume.

Martin Gagnon a inspiré bruyamment le volume d'air qu'il venait d'expulser alors que ses épaules sont descendues jusqu'au rez-de-chaussée.

— Pis, j'avais vu les cadeaux en venant avec ma maman quand t'étais pas là.

À la vue du père Noël, désormais si triste, l'enfant a un instant caressé, de sa petite main, le pelage blanc de sa barbe.

— Je vais t'aider à l'enlever !

Il a pris entre ses doigts une plume sur la joue droite et il a d'abord tiré doucement. Elle ne s'est pas décollée. Il a donc tiré d'un coup, très fort.

— Aïe !

À l'instar de la chatouille, acte primaire qui plaira toujours aux enfants, la douleur infligée à plus grand, si elle n'est pas fatale, fera obligatoirement rire le plus petit. Little Martin s'est donc très vite amusé à tirer les plumes des joues, encore et encore.

— Aïe ! Aïe ! Aïe ! Aïe ! Aïe ! Aïe !

Chacun des petits cris de l'un a provoqué le rire de l'autre, jusqu'à ce que l'enfant s'interrompe.

— Attends, c'est pas pratique, comme ça !

Il s'est placé derrière le dossier du fauteuil.

— On va faire comme chez le dentiste !

Le père Noël déchu a tout de suite compris ce que l'on attendait de lui. Il s'est enfoncé plus loin dans le fauteuil, a tendu ses jambes, puis il a posé sa nuque sur le haut du dossier, penché la tête en arrière pour que sa barbe s'offre au regard du praticien ès plumes, mais surtout à ses petits doigts, pas encore experts.

— Aïe! Aïe! Aïe! Aïe! Aïe! Aïe!

À ce rythme, le côté droit a vite été dégagé de ses tiges. Mais le blanc y dominait encore puisque des petites fibres de plume restaient collées, autant sur le poil noir que sur la peau rougeaude. Ça ressemblait à une sorte de vieux tapis oriental à poils ras, à dominante carmin, découvert dans une maison abandonnée à la poussière depuis un siècle et demi.

— Tourne ta tête que je fasse l'autre côté.

— Aïe! Aïe! Aïe! Aïe! Aïe! Aïe!

Les joues de Martin Gagnon étaient en feu. Au bout d'un moment, l'enfant semblant trouver le jeu de moins en moins amusant, la plumaison a perdu son rythme.

— Aïe... Aïe... Aïe...

— Arrête de crier, sinon t'as qu'à le faire tout seul!

L'adulte s'est laissé plumer en silence. L'enfant en a été surpris. De nouveau amusé, il a tenté de tirer les plumes plus vite et plus fort pour voir si les petits cris allaient reprendre. Mais son patient, trop habitué aux coups vicieux qui font mal et aux gros bobos, n'a pas bronché. À ce jeu, le petit Martin a compris qu'il ne gagnerait pas. Il a continué un moment en silence, puis il a cessé de plumer Martin Gagnon.

— Tu veux que je refasse "aïe"?

— Non.

— Qu'est-ce qu'y a, tu veux qu'on joue à un autre jeu ?

L'enfant a marché jusqu'au tas de jouets déballés en désordre au pied du sapin. Il les a longuement observés.

— Il existe pas le père Noël, hein ?

— Moi je dirais plutôt que oui.

— Je sais qu'il existe pas !

— Alors pourquoi tu criais "Père Noël ! Père Noël !" ?

— Je faisais semblant.

Martin Gagnon a baissé la tête et n'a plus su quoi dire. Derrière les restes de sa barbe, il a regardé ses mocassins et il a attendu que l'enfant parle.

— C'est toi qu'as acheté les cadeaux ?

La réponse à donner était simple, mais Martin Gagnon n'avait pas envie de mentir. Oui, il avait bien acheté ces cadeaux, mais ils étaient destinés à d'autres. Si la hotte avait pu être si bien garnie, c'était qu'on les lui avait renvoyés à la figure. Il a choisi ce qu'il pensait être la meilleure des vérités.

— Euh, non... C'est pas moi qui les ai achetés.

L'enfant a repris vie et de nouveau la lumière a jailli de ses yeux.

— Je suis sûr que c'est mon papa !

De nouveau les fibres de plumes ont tremblé sur les joues du père Noël. Il était trop tard pour faire machine arrière. Et si c'était de retourner quelque part, pour aller où?

— Tu te rends compte, il m'a acheté trois Nintendo! Il a peut-être eu peur que j'en perde une en route… ou même deux… Il est trop fort, mon papa!

Plein d'espoir, l'enfant a couru à la fenêtre et a regardé la ville. Martin Gagnon n'a pas bougé, car il n'avait aucune idée de quoi faire. En fait, sans le savoir, il a dû prier, implorer une force supérieure pour qu'il revienne à ses jouets et que peut-être ils puissent s'amuser ensemble. Mais le petit ne bougeait pas, trop occupé à chercher son père dans les rues enneigées.

Le père Noël avachi s'est enfoncé dans le fauteuil. Prostré, il a juste attendu et continué d'implorer, sans savoir trop qui. Quand il a entendu une clef se glisser dans la serrure de la porte de la suite, il n'a pas douté de qui venait le sauver. Ce devait être cela, l'instinct maternel, et c'était bien pourquoi il fallait toujours une mère. Qui d'autre, sinon elle, pourrait ressentir le moment où le petit va mal et a besoin d'aide? L'homme solitaire, soulagé de ne plus l'être, s'est tourné vers la porte, maintenant ouverte.

À la vue de qui arrivait, quelques fibres de plume se sont décollées d'elles-mêmes et ont volé autour de Martin Gagnon.

— Je vous l'avais promis, cette nuit, tout est permis, hips!

Ce n'était pas de voir le concierge jovial apparaître qui a provoqué une brutale distension des maxillaires inférieur et supérieur, gauches et droits, avec effets secondaires sur le plumage, mais c'était surtout de découvrir qui l'accompagnait.

— Surprise!

ÇA SERAIT QUOI,
LE RÊVE DE TA VIE ?

À la surprise de voir arriver l'homme qui lui avait fermé la porte au nez au début de la soirée, l'enfant a ajouté l'affront de hurler en courant vers le nouvel arrivant en écarquillant les yeux comme si le père Noël, finalement, existait.

— Ça se peut pas, c'est Georges D'Amour, pour de vrai !

Même si Martin Gagnon était loin d'être petit, il rendait un bon demi-pied au redresseur de torts du Canadien de Montréal. Et ses épaules, pourtant qualifiées de larges, apparaissaient minuscules comparées à celles de Georges D'Amour, le vrai.

— Il a l'air encore fait plus fort qu'à la télé !

Vêtu d'un costume de ville gris clair à deux boutons, sous lequel une chemise bleue laissait découvrir une chaîne en or délicatement posée sur un écrin de poils, le nouvel arrivant a passé sa main dans les cheveux ébouriffés de l'enfant.

— Il m'a touché la tête !

Martin Gagnon s'est rendu à l'évidence. Dans les restes de son déguisement de père Noël qui dégoulinait sur lui, il n'était pas en mesure de soutenir la comparaison avec la flamboyance de son ex-compagnon de vestiaire qui marchait vers lui, tout sourire, voulant clairement renouer la relation à l'autel des amitiés éternelles.

— Canadien un jour, Canadien toujours !

Martin Gagnon s'est laissé étreindre, sans rendre à son visiteur l'enthousiasme reçu. Même s'il avait l'impression d'avoir vécu une vie entière depuis sa retentissante débâcle de l'Île-des-Sœurs, il en gardait le souvenir d'une terrible humiliation. Elle lui avait, certes, permis de revenir avec les cadeaux pour son petit protégé, mais il avait tout de même été rejeté par celui qu'il croyait son ami pour toujours.

— Quoi, tu connais Georges D'Amour ?

Pour la première fois depuis l'arrivée de l'intrus, l'enfant s'est intéressé à l'homme qui avait tant pris soin de lui depuis des heures. Mais ça n'a pas duré, le regard plein d'admiration du jeune fan était déjà revenu sur celui qui venait d'affaler ses deux cent cinquante livres de muscle sur le divan.

Martin Gagnon a compris qu'il n'avait jamais dit à l'enfant qui il était en dehors de cette chambre d'hôtel. Il aurait pu raconter l'incroyable épopée de cette coupe Stanley qui lui avait permis de glaner la bague reposant désormais dans la tuyauterie de l'hôtel. Il aurait pu également évoquer ses deux saisons de quarante buts, les quatre saisons de plus de trente buts, puis, les cinq de plus de vingt buts. Il ne se serait peut-être pas étalé sur les deux dernières durant lesquelles il n'avait pu marquer que dix buts. Mais au moins l'enfant aurait su qui il avait devant lui au lieu de contempler George D'Amour, dont le seul talent, puisqu'il n'avait jamais compté plus de trois buts en une année, était d'écrabouiller la face de ses adversaires quand on le lui commandait.

— À l'école y en a qui disent que c'est le plus fort du monde! Même les deuxième année ils ont peur de lui!

Martin Gagnon aurait pu se lancer dans un long monologue pour expliquer à l'enfant, chiffres à l'appui, que la vraie vedette ici, enfin celle qui l'avait été le plus, c'était lui. Mais ne sachant rien du programme de mathématiques statistiques au primaire, il a préféré opter pour la détente et le désarmement.

— Si je connais Georges? Tu penses, c'est mon meilleur ami.

L'enfant n'en revenait pas. Martin Gagnon, pour ajouter du poids à ses mots, a tendu sa paume à l'idole du jeune qui a répondu à l'invite en frappant très fort dessus. Et d'une même voix, les deux gaillards ont hurlé.

— Canadien un jour, Canadien toujours !

Il y a eu un petit flottement, suivi d'un silence, comme lorsque tout a été dit. C'est le moment qu'a choisi le concierge, toujours à la porte de la suite, pour faire son grand retour sur scène.

— Je le savais ! Quand j'ai vu arriver monsieur D'Amour, je me suis souvenu tout de suite que vous étiez de grands amis et je n'ai pas hésité à le faire entrer. On s'en fout du directeur ! Je n'étais encore qu'un simple groom quand vous aviez organisé cette soirée mémorable, dans cette même chambre. Vraiment, quelle injustice monsieur Gagnon qu'on vous ait fait porter le blâme pour de si petits dégâts… Je peux vous dire que si j'avais été le chef cette nuit-là, personne n'en aurait jamais rien su.

Le plus petit des deux joueurs de la Ligue nationale de hockey, tout de rouge vêtu, a jeté un regard inquiet sur le plus petit de tous dans la chambre, l'enfant, puis il est revenu au plus con, le concierge, pour lui intimer, sans la bande son, mais juste avec la dureté de l'œil, de ne pas s'étendre sur le sujet. En fait, de la fermer. Alexandre a reçu la consigne et, sans discuter, il a fermé sa bouche, puis la porte derrière laquelle il a disparu. Pas longtemps cependant, mais là, au lieu de l'ouvrir, il l'a juste entrouverte, enfin, la porte. Car la bouche, il n'a pas pu se retenir.

— Lagagne, juste comme ça, avant que je ne disparaisse, ça restera entre nous, il m'a semblé voir un enfant dans votre chambre, d'ailleurs il est juste en face de moi et il me regarde. C'est indiscret de vous demander qu'est-ce qu'il fait là ?

— Cou-couche réception !

— Vous êtes trop drôle, tordant même, ouarf ! ouarf ! Je disparais. Y a plus d'Alexandre ! Hop, à la niche. Mais je suis toujours là si vous avez besoin de quoi que ce soit ! ouarf ! ouarf !

Le concierge a cette fois tout bien fermé, bouche et porte, et on ne l'a plus revu. Georges D'Amour a toisé l'enfant qui le dévorait des yeux.

— C'est vrai ça, qu'est-ce qu'il fait là, ce *kid*... Et puis, toi, c'est quoi ce déguisement de princesse passée au feu ?

L'enfant, tentant de s'en faire son ami, a forcé le rire, sans même mériter un regard de son idole.

— Je t'expliquerai plus tard. Mais toi, qu'est-ce que tu fais là ? La dernière fois que je t'ai vu, t'étais chez toi, au chaud, avec ta famille. Vous aviez l'air si heureux...

Georges D'Amour a baissé la tête pour ne pas revoir l'image de Martin Gagnon, couvert de neige, l'implorant sur le pas de sa porte.

— Tu sais où on pourrait se parler tranquillement?

⟡

La toge du père Noël gisait sur le carrelage blanc
de la salle de bain alors qu'on entendait à travers la
porte la musique, métallique et lancinante, d'un
jeu vidéo, entrecoupée d'onomatopées guerrières
au fil des combats virtuels que livrait l'enfant. Les
joues badigeonnées d'une épaisse couche de crème
à raser, Martin Gagnon semblait souffrir le martyre
à tondre poils de barbe et brins de plume soudés à
sa peau. Assis sur la cuvette, fermée, Georges
D'Amour en avait long à raconter sur sa vie qui ne
ressemblait pas tout à fait à ce que les journaux
pouvaient en dire, ou, plutôt, à ce qu'il en disait aux
journalistes.

— J'en peux plus de Noël… Elles crient, elles
hurlent… Je te jure, les enfants… Depuis ce matin,
les quatre courent partout dans la maison pour
savoir par où va venir le père Noël. Dans l'après-
midi, elles se sont battues pour le sèche-cheveux
parce qu'elles voulaient toutes être la plus belle
pour le recevoir… Quand elles ont ouvert les
cadeaux, après que t'es parti, Julie s'est rendu
compte qu'elle avait oublié d'acheter des piles pour

les faire fonctionner. Donc, je suis allé en urgence au dépanneur et ça a pas raté, j'ai dû signer des autographes à tous les itinérants qu'avaient froid et qu'avaient pas ailleurs où aller. Quand je suis revenu, une demi-heure plus tard, Julie était pas contente parce que les filles pleuraient de pas avoir pu jouer. Pis là, elle m'a dit que c'était l'heure d'aller les coucher pendant qu'elle attaquait son masque de concombres dans la salle de bain…

Sur le trottoir de l'Île-des-Sœurs, Martin Gagnon avait ressenti de la jalousie à imaginer son compagnon savourer cette soirée de réveillon au chaud alors qu'il était prêt à marcher jusqu'à nulle part dans la neige. La complainte de son ami, à qui il n'avait pas encore pardonné, il l'a presque savourée.

— Mon pauvre… Et après, il s'est passé quoi ?

— Depuis qu'elle a lu dans un livre que ça rassurait les enfants qu'avaient peur des monstres que ce soit le papa qui les couche, ben je suis obligé de leur raconter des histoires… Chaque soir, si j'ai pas une *game*. Alors, je leur mets une cassette qui raconte une histoire de princes charmants et de princesses, je reste cinq minutes, je me lève, pis là elles veulent des becs, ça en finit plus… Pis, là, ce soir, comme c'était Noël, je me suis dit: "Et moi, mon petit cadeau?" Je vais rejoindre Julie dans la chambre. Elle était en train d'avaler ses deux somnifères. J'ai compris que j'allais me l'accrocher derrière l'oreille. Alors, je me suis dit, bon, tu vas encore t'endormir comme un con sur le divan. J'allume la télé, je pitonne… Et là, tu sais pas quoi?… Tu sais pas quoi?… Allô? Je te parle, Lagagne! Tu sais pas quoi?

Martin Gagnon a sursauté aux cris de l'homme qui se confessait sur les toilettes, et s'est coupé avec le rasoir. Il a vite attrapé une serviette blanche, l'a imbibée de l'eau du robinet et l'a pressée fort.

— Ben, non, je sais pas! Comment tu veux que je sache?

— Attends, tu vas pas me croire. Là, je tombe sur un documentaire avec des animaux. Moi, les animaux, c'est comme les flos, je les supporte pas. Mais là, je vois un gnou qui saute tout ce qui bouge. En pleine savane, il s'en câlisse des crocodiles, des guépards, de ses enfants, de sa femme, des autres gnous qui le regardent. Lui, la seule chose qu'il veut, c'est toutes se les faire! Et là, ça a fait bing dans ma tête! Au fond, toi et moi, on est des gnous! Enfin, un genre de gnou humain. C'est peut-être pas bien fin-fin un gnou, mais au moins il sait ce qui est le plus amusant dans la vie, hein?

Dans le reflet du miroir, Martin Gagnon, aux prises avec des brins de plume récalcitrants sur le menton, a observé Georges D'Amour dans son costume gris si bien taillé, qui cherchait ses mots en se grattant l'entrejambe.

—Lagagne, tu te souviens de Julie quand on l'a connue ?

— Ouais… un peu…

— Pas avec moi, Lagagne ! Je sais que tu t'en souviens, elle m'a tout raconté… T'es d'accord que, elle, les galipettes, elle aimait ça ?

— J'me souviens plus trop…

La main tenant le rasoir qui taillait son chemin à travers poils et plumes a accéléré son rythme jusqu'à le rendre progressivement effrené. Martin Gagnon s'en souvenait très bien de Julie, enfin plutôt de Bambi, connue dans tout le *night life* montréalais pour sa beauté, ses formes et sa joie de vivre. Cette effeuilleuse au grand cœur, reine des pistes, lui en avait fait faire des tours, jusqu'à lui proposer le pas de deux.

Il n'avait jamais voulu l'imaginer. La fameuse pension alimentaire… Bambi, il l'avait eue un peu dans la peau, il en avait même parlé à son ami Georges.

— Si elle me demandait pas ça, j'te jure, j'en ferais mon officielle. J'suis trop triste… Allons boire un verre.

Mais c'était finalement Julie que D'Amour avait consolée. En retour, elle lui avait tout donné, et sans attendre, même.

— Ben je vais te dire, Julie, avant qu'on ait les enfants, c'était une femme qu'aimait son homme. Elle prenait soin de moi, préparait les repas, rangeait ma poche de hockey, me pliait mes chandails... me faisait des petites gâteries quand je voulais... Pis, maintenant, plus rien! Y en a plus que pour les enfants!

En écoutant la triste vie de l'icône sur papier glacé de la conciliation amour-hockey-famille, Martin Gagnon a pensé ne rien avoir raté en déclinant l'offre de faire un enfant. Enfin, d'avoir un enfant avec Julie, même si, à bien y regarder, c'était Bambi qui l'avait proposée. Et Bambi, c'était évident, Julie voulait l'enterrer pour se consacrer aux enfants. Et Georges, qui de nouveau venait de se gratter l'entrejambe, cela l'avait-il changé d'être père?

— Si on peut pas le faire le soir, on le fait la journée quand les enfants sont pas là, hein? L'autre fois, j'avais journée libre, congé d'entraînement. Ben, elle m'a inscrit comme parent pour aller accompagner toute la classe au Jardin botanique quand on aurait pu rester tous les deux à la maison pour faire crac-crac. L'enfer que j'ai vécu! J'en avais vingt dans les pattes, pis rien que des petits crisses de l'Île-des-Sœurs qu'écoutent rien! Heureusement, y avait une journaliste de *Famille*

Québec et son photographe pour me suivre. Ils m'ont vraiment aidé, eux...

Martin Gagnon avait terminé de déplumer sa joue droite et son menton. Il s'attaquait maintenant à la joue gauche mais le plus dur serait de régler le cas des sourcils. Pour le premier, ressoudé avec du *tape*, il suffirait de le changer. Mais pour l'autre, tout blanc, il s'inquiétait de l'acte qu'il devrait commettre pour se débarrasser des brins.

— Je te jure, Lagagne, tu la connais pas ta chance de pas avoir d'enfant.

L'homme n'a pas répondu. Le père de famille nombreuse, si malheureux de l'être, n'a plus parlé, semblant s'être vidé, assis sur le couvercle des toilettes.

Toc toc toc !

Georges D'Amour, d'un bond, a verrouillé le loquet.

— Occupé !

— Mais j'm'ennuie tout seul...

Connaissant par cœur le guide du parent qui ne veut pas se faire emmerder par les enfants, il n'a pas eu à chercher son texte.

— Retourne jouer tout seul, on arrive.

— Oui, mais j'm'ennuie tout seul.

— Si tu vas pas jouer tout de suite, je te préviens, on jouera pas avec toi !

— Je finis de m'enlever les dernières plumes et j'arrive !

— Tu joueras avec moi, Georges ?

Georges D'Amour, sans répondre à l'enfant, s'est levé pour détendre ses longs membres tout en distillant un cours 101 de paternité appliquée en milieu hôtelier.

— Tu vois, là, t'as dit oui et jusqu'à ce que tu cèdes, il va pas arrêter de demander.

— C'est un enfant…

— Je vais te prêter les miennes, si t'aimes ça.

Martin Gagnon a souri à la proposition de son ex-coéquipier, avec ce petit rictus qui prétend tourner en dérision l'offre entendue qu'on feint de ne pas croire, même si on devine, au fond, qu'elle est très sérieuse. Comme tant d'hommes, Martin Gagnon envisageait la paternité, la vraie, comme une extension de lui-même pour une nouvelle génération et il n'avait jamais envisagé une fille pour lui survivre.

— T'aurais pas préféré avoir des gars ? Enfin, au moins un.

— Ouais, chaque fois, j'ai espéré que ce soit un gars. Mais avec le temps, je sais pas si ça aurait changé grand-chose. Moi, en fait, c'est les enfants le problème. T'as une femme, pis t'as les enfants et pis un jour t'as plus de femme parce qu'elle n'en a plus que pour les enfants.

Martin Gagnon s'est demandé pourquoi il subissait un tel réquisitoire de son ex-chambreur contre les enfants, la famille et la paternité. Georges D'Amour, soudain plus grave, a fait mine de regarder le sol, comme si ce qu'il allait dire n'était d'aucune importance.

— Au fait, tu m'as pas dit, c'est qui ce *kid*?

— C'est un enfant que je garde pour une amie.

— Me niaise pas, Lagagne! Quand t'es reparti de chez moi, t'avais pas trop la tête du gars qui va placer une annonce dans le journal pour faire du gardiennage!

Martin Gagnon s'est immédiatement tourné vers l'homme qui venait de lui renvoyer à la face un moment dont aucune amitié ne saurait se nourrir. Georges D'Amour n'a eu aucun mal à comprendre que l'intimité de l'instant n'était que poussière comparée à la rancœur pour ce douloureux abandon sur l'Île-des-Sœurs.

— Je suis désolé, je te jure, ça a pas été facile pour moi. Mais bon, t'as bien vu, je décide de rien dans cette maison. Pis regarde, je suis venu te voir quand même. Allez, à moi, tu peux bien me dire ce qu'il fait là, ce petit? Je te dis tout, moi....

Martin Gagnon a hésité. À quoi bon ne pas répondre puisqu'en sortant de cette pièce, il se retrouverait devant l'enfant et la question se reposerait de nouveau. Alors, il a tout raconté. De la balle rouge à la casquette, en passant par chez Ginette, de la table au comptoir. Devant l'hétérophile convaincu qui lui faisait face, prêt à se réincarner en gnou si l'Univers était savane, il a juste évité d'évoquer ses visions dans le sauna à entendre, nu, la voix de Pierre-Léon lui parler. Ému, il a narré dans le menu détail cette apparition magique de l'enfant dans la poche de hockey.

— J'te jure, j'ai bien cru que c'était le mien.

Puis il a décrit ce court espoir, abattu en plein vol, et cet atterrissage brutal quand Louise est apparue pour tout dévoiler.

— T'es aussi brun que lui est blond, t'aurais quand même pu t'en douter?

Au-delà de la raison, il a avoué cette affection qui, sans qu'il la comprenne, perdurait pour l'enfant. Comme si elle présentait quelque chose de vital. Ce n'était pas l'entrejambe, mais cette fois le menton que Georges D'Amour se grattait, perplexe.

— T'es sûr que Michel Mercier t'a bien dit ça?

— Te faire dire que t'es peut-être père en digérant des rondelles d'oignon frites à l'huile de huit jours, tu t'en souviens.

— Et la fille, là... Louise! T'es sûr que tu l'as pas reconnue?

— Non, je l'ai pas reconnue, et de toute façon, comment voulais-tu que j'aie une chance de la reconnaître, je m'en souviens presque plus de cette soirée. Elles se ressemblaient toutes. Je me souviens juste du président quand je suis sorti de l'ascenseur.

Martin Gagnon a entamé les derniers coups de lame sur sa joue avant d'en finir avec son sourcil encore emplumé qu'il avait décidé de tondre. Il finirait bien par repousser. Derrière lui, Georges D'Amour ne se grattait plus le menton. De nouveau, c'était la partie du corps située dans la zone inférieure de son anatomie qui redevenait le centre de ses préoccupations.

— Elle est comment ?

— Qu'est-ce que tu veux dire ?

— C'est juste pour savoir comment elle est. Simple curiosité.

Martin Gagnon s'est retourné pour dévisager son ami avec une tristesse infinie, jusqu'à le déstabiliser, enfin suffisamment pour qu'il cesse de se gratter l'entrejambe.

— Quoi, qu'est-ce qu'il y a ? Entre gars on a plus le droit de se poser des questions de même ?

La peine qu'éprouvait Martin Gagnon à écouter Georges D'Amour était nourrie du regret d'être peut-être responsable de voir son ami n'imaginer que le gnou comme modèle de savoir-vivre. Lorsque cette force de la nature, âgée d'à peine vingt ans, avait été livrée par ses parents au grand club, en provenance de Rouyn-Noranda, c'était un jeune homme sage et discipliné qui ne demandait qu'à en apprendre sur la vie. Son père, fier de serrer la main de Martin Gagnon, lui en avait confié les clefs.

— C'est un bon petit gars, prenez-en soin. Je compte sur vous.

Le soir même, Martin Gagnon avait invité son nouveau disciple au Sex Paradisio, il s'était régalé à voir le jeune homme rouler des yeux à chaque nouvelle fille s'exposant sur la scène.

— Mesdames et messieurs, veuillez accueillir pour la deuxième partie de son spectacle… Bambiiiii!

Contrevenir à la promesse faite au père l'avait amusé. Non, ça l'avait stimulé dans le noir dessein d'entraîner ceux qui vous font confiance dans vos propres démons, pour se rassurer, plutôt que de s'en inspirer pour retrouver la lumière, ou tout du moins, l'apercevoir. Comme il est beaucoup plus facile de tirer quelqu'un vers le bas que de le monter vers le haut, le résultat ne s'était pas fait attendre, Georges D'Amour était devenu le complice de son mentor.

Mais cette nuit fatidique, le jeune disciple avait avait voulu revoir Bambi danser pour lui déclarer sa flamme au pied de la scène et n'avait pas suivi Martin Gagnon dans sa virée à l'hôtel Saint-Régis.

— Bon, tu me le dis ou pas? Je vais pas rester le cul sur les bécosses à t'attendre pendant des heures.

Si l'on écrit de haut en bas, les hommes qui aiment les femmes les décrivent toujours, eux, de bas en haut.

— Elle a un beau *body*, je crois.

Ce n'était pas que Martin Gagnon était en proie à la pudeur, c'était qu'en fait, il n'en avait eu que pour l'enfant. Oui, il avait regardé Louise, mais la présence du petit Martin avait brouillé ses vieux capteurs.

— Mais elle est vraiment gentille et c'est une bonne personne… ça c'est sûr.

Georges D'Amour ne s'est plus gratté, la description étant bien trop abstraite pour nourrir sa fringale. À la porte, ça a fait toc toc toc.

— Occupé!

— Martin, c'est Louise, que faites-vous enfermé dans la salle de bain?

Georges D'Amour s'est immédiatement levé pour se placer devant le miroir afin de réajuster son costume, sa chemise et ses cheveux, alors que Martin Gagnon s'aspergeait le visage d'eau pour enlever la crème à raser de ses joues. Il n'a pas eu le temps de saisir la serviette pour s'essuyer qu'il a entendu le souffle d'un gnou vérifiant son haleine, suivi du couinement d'un loquet qu'on déverrouillait.

— Me voilà, ma p'tite dame !

— Excusez-moi, monsieur.

— Appelle-moi pas monsieur, appelle-moi Labarre, comme tout le monde.

Ce n'était pas d'entendre le surnom de l'homme qui a exaspéré Louise, mais de voir la mimique qui l'a accompagné. En soufflant, non de dépit, mais de dégoût, elle a levé les yeux au plafond avant de les redescendre sur Martin Gagnon qui sortait de la salle de bain en finissant d'essuyer son visage.

— Quand je suis entrée, il était à la fenêtre…

Un frisson a parcouru l'homme aux joues roses. Il s'en est même mis la main devant la bouche. Puis il l'a enlevée, pour parler.

— Georges avait besoin de discuter et ces plumes me grattaient tellement que ça en devenait insupportable.

— Je comprends, mais quand même…

— En parlant de plumes, vous saviez qu'il ne croyait plus au père Noël, vous ?

La femme a juste détourné le regard, sans pouvoir masquer un petit sourire gêné. Elle l'a vite perdu en sentant que quelqu'un, derrière elle, la déshabillait des yeux. Elle s'est retournée et ça a fait pan ! pan ! pan ! dans son regard. Touché, mais pas abattu, Georges D'Amour a renoncé à la stratégie directe, optant pour l'indirecte, si possible affective. Il a ouvert les bras vers l'enfant, assis devant la télévision en train de jouer au jeu vidéo.

— Hey, mon petit Martin, j't'aime bien, toi. Tu veux qu'on joue ensemble? Je suis imbattable!

— Maman, regarde, c'est Georges D'Amour, le vrai! Et en plus, il va jouer avec moi à la Nintendo!

En observant Louise souriant à son enfant sans être dupe une seconde du stratagème du *player* qui venait de se saisir d'une manette et de s'asseoir au sol à ses côtés, Martin Gagnon s'est surpris à la regarder pour la première fois, autrement. Ses cheveux châtain clair étaient relevés, quelques mèches s'échappant sur son cou. Les traits de son visage étaient fins. En fait, elle était jolie, très jolie. Il s'est demandé comment elle pouvait être il y a sept ans. La vie n'avait certainement pas encore eu le temps de creuser les cernes sous ses yeux et les ridules devaient être moins acérées. Il n'a pas douté un seul instant que si, ce soir-là, elle avait frappé à la fenêtre de son auto à la sortie du Forum, il lui aurait ouvert la portière.

Les femmes ont le don de sentir des yeux posés sur elles, mais elles sont maîtresses d'en définir la durée. Louise a attendu un petit moment encore, puis s'est lentement tournée vers Martin Gagnon.

Elle n'a pas levé les yeux au ciel. Elle l'a juste regardé avec une tristesse mêlée à la fatalité de ces instants de vie où un ange passe, mais ne s'arrêtera peut-être pas.

— S'il vous plaît, Martin, ne me regardez pas comme ça.

L'avait-il feint, ou manquait-il d'entraînement, faute d'avoir quatre filles? Toujours est-il que la terreur sur glace venait de se faire laminer, une fois encore, dans cette bataille de monstres virtuels.

— T'es vraiment trop fort à la Nintendo! En plus, t'as les yeux aussi beaux que ceux de ta mère!

— T'as entendu, m'man? Il a dit que je suis trop fort!

— Et il a les yeux aussi beaux que ceux de sa mère!

La grande carcasse, en costume griffé, s'est relevée pour s'étirer. Il a machinalement balayé la pièce des yeux. Quand ils se sont arrêtés sur le mur, derrière le fauteuil, il n'a pas feint la surprise extatique, c'était du cent pour cent naturel.

— C'est toi qu'as dessiné ça?

— Oui, tout seul!

— Tabarnouche! Là, tu m'épates!

Martin Gagnon a attendu que l'enfant mentionne que cette œuvre lui était dédiée, mais il ne l'a pas fait. Louise a cru bon de vérifier ce qui rendait son fils si fier. Elle a marché dans le couloir jusqu'au centre du salon et s'est retournée. Elle non plus n'a pas eu à feindre la surprise. Elle a vacillé un instant, puis s'est appuyée au dossier du fauteuil pour mieux contempler.

— Mon Dieu…

Tout en écoutant les explications exaltées de l'enfant à Georges D'Amour, pris d'une subite passion pour Donatello, Martin Gagnon, penaud, s'est planté devant Louise avec l'intention de se confesser et si possible, se faire pardonner.

— Je vais le faire mettre sur ma note, vous inquiétez pas. C'est juste un petit moment d'inattention quand je suis descendu faire mon costu…

— Chut… Sachez que j'apprécie beaucoup ce que vous faites pour mon fils.

Les mots sont allés droit au cœur de l'homme, mais ils n'ont pu recouvrir la contrariété, ou plutôt la jalousie, de voir le petit Martin ne plus s'intéresser à lui. L'enfant avait jeté son dévolu sur son ami si envahissant, mais qui avait une bonne longueur d'avance dans la manière de s'y prendre avec lui.

— Alors, qu'est-ce qu'on pourrait bien faire maintenant tous les deux?

À cet instant, Martin Gagnon aurait accepté de ne pas être aimé autant qu'il imaginait aimer l'enfant. Mais il aurait au moins voulu être le préféré. Georges D'Amour a d'abord regardé Louise, pas que dans les yeux, puis il s'est tourné vers son jeune admirateur qui pensait être devenu son meilleur ami.

— Dis-moi, mon petit chum… Ça serait quoi le rêve de ta vie?

METS TES MAINS DEVANT TOI
ET TENDS TES BRAS !

Les essuie-glaces déblayaient la neige qui tombait toujours sur Montréal. Les rues dans lesquelles aucune auto ne roulait étaient aussi blanches que les trottoirs, où personne ne marchait. Au volant du taxi, Pierre-Léon conduisait prudemment. Le feu, au loin, est passé au jaune, il a immédiatement pressé la pédale de frein pour ralentir. En douceur, sans que les roues se bloquent et dérapent, la grosse Chevrolet Caprice s'est arrêtée environ cinq mètres avant la lumière, quelques bonnes secondes avant qu'il devienne rouge.

— Hey, on avait le temps de passer, là !

Pierre-Léon a regardé dans son rétroviseur pour apercevoir sur la banquette arrière, près de la portière droite, Georges D'Amour lui exhiber sa montre.

— À la vitesse où tu vas, on va arriver dans deux heures !

— Quand je transporte un enfant, je roule toujours lentement. Votre ami m'a dit avoir promis à la maman d'être prudent, donc, je roule encore plus lentement.

— C'est que j'ai quand même une famille, j'peux pas rentrer à n'importe quelle heure, moi !

Les deux Martin, le plus petit étant assis sur les genoux du grand, se sont tournés d'un même mouvement vers l'homme qui regardait par la fenêtre pour y ruminer son impatience.

— Quoi, qu'est-ce que vous avez à me regarder de même, les deux, là ?

On pense souvent que les enfants ne comprennent rien. C'est vrai qu'ils ne comprennent pas tout, mais ils comprennent tout de même des choses. Et si on prétend que la vérité sort de leur bouche, c'est qu'à défaut de la connaître, ils posent souvent la bonne question.

— Pourquoi t'es venu si tu voulais pas ?

— C'est des affaires de grands. Ta mère, elle t'a jamais appris que ça se faisait pas, de poser des questions ?

Le feu est passé au vert. Lentement, très lentement, la grosse voiture blanche a démarré pour reprendre son chemin dans la nuit. Elle n'a pas fait trois tours de roue qu'au carrefour suivant, le feu est passé au jaune. Immédiatement, les feux des freins se sont illuminés, tout rouges, et la Chevrolet Caprice a ralenti.

— Hey, le chauffeur, tu vas pas nous faire ça à tous les blocs?

— Georges, tais-toi, j'ai pas été assez clair à l'hôtel?

— C'est bon, Lagagne, calme-toi.

Au carrefour, le taxi n'a finalement pas eu à s'arrêter. Pierre-Léon avait roulé si lentement que le feu a eu le temps de repasser au vert.

— Tu vois que t'es capable, chauffeur...

Dans la vie, quand on se retrouve en mauvaise posture, c'est souvent qu'on a été victime de soi-même, plus que des autres. Si le colosse du Canadien était contre son gré dans ce taxi au milieu de la nuit, ça n'est peut-être pas parce qu'il en avait eu l'idée, ni ne l'avait décidé, mais c'est bien lui qui avait commencé.

———✦———

Plus tôt, dans la suite, tout en reluquant sa mère, quand Georges D'Amour avait demandé au petit Martin quel serait le plus grand rêve de sa vie, celui-ci avait chuchoté la réponse à son oreille.

— Ça te ferait vraiment plaisir?

— Oh, oui!

— Tu veux vraiment jouer au hockey avec moi ?

Martin Gagnon avait encaissé le coup sans broncher, même s'il gardait fraîchement en mémoire le refus du petit de s'adonner à cette même activité avec lui. Mais au lieu de se taire et de laisser toute l'attention sur son ancien coéquipier, devenu dans cette triste compétition affective un véritable adversaire, il avait décidé d'entrer dans la partie. Parce que l'important, c'est aussi de participer.

— J'ai une douzaine de bâtons, y a tes balles rouges. On a de quoi avoir du fun, non ? Tous les trois…

Sous le sourire de Louise, l'enfant s'était levé d'un bond pour courir dans l'entrée où traînaient les bâtons maintenus par du *tape*, le même qui couvrait encore l'arcade sourcilière de Martin Gagnon. Aveuglé par sa stratégie d'imaginer qu'à séduire l'enfant, la mère tomberait dans son lit, Georges D'Amour avait relancé la mise.

— Moi, je pensais t'amener jouer sur de la vraie glace !

— Oui, je veux jouer sur de la vraie glace !

— Allez, on y va, y a une patinoire extérieure à deux blocs d'ici !

Martin Gagnon, sans se demander si c'était le comportement méprisable de Georges D'Amour qui l'avait motivé ou la connerie masculine d'être à tout prix le coq qui chantera victoire, n'avait pas voulu se coucher et il avait joué *all in*.

— Et qu'est-ce que tu dirais si je t'amenais jouer au Forum ?

Au regard de l'enfant, Martin Gagnon avait compris être redevenu le préféré. Georges D'Amour s'était alors avancé pour relancer la mise, mais son rival ne lui en a pas laissé le temps. Sans pitié, il abattu la *flush*, royale.

— Là où j'ai compté plus de deux cents buts !

— …

— Deux cents buts ? T'as vu ça, maman, Martin il a compté deux cents buts !

On n'avait plus entendu Georges D'Amour qui, du bas de ses sept buts sur cette glace mythique, dont un dans son propre filet, n'avait plus de jetons pour jouer au poker menteur. Louise avait alors mis un terme à la partie en déclarant le grand vainqueur, sans pouvoir masquer qu'il était aussi son favori.

— Bonne idée que d'aller au Forum ! C'est couvert. C'est bien plus raisonnable que de jouer dehors avec le froid qu'il fait.

— Maman, j'en reviens pas que je vais jouer au Forum !

La mère n'en revenait pas non plus, de ce qu'elle venait de permettre. Ce n'était pas qu'elle n'avait pas réfléchi, mais la joie de l'unique se proposait une nouvelle fois à son fils sans qu'elle ne veuille s'y opposer. Surtout que son petit, mine de rien, les *flush* royales, il savait aussi les abattre au meilleur moment.

— Maman, même si c'est la nuit, c'est le plus beau jour de ma vie !

Si la peur et l'inquiétude censurent souvent des plaisirs dont on privera nos enfants, la confiance et la certitude que l'on peut se reposer sur l'autre ouvrent la clef de champs où ils gambaderont, joyeux. Louise s'était approchée de Martin Gagnon, presque à le toucher.

— C'est à vous, Martin, que je le confie. À vous seul.

— Vous pouvez compter sur moi.

— Ne traînez pas trop, il va tout de même finir par être fatigué.

— On va faire quelques tours de glace, des tirs, puis on rentre. Je vais emporter la petite bouteille de jus d'orange et le chocolat que j'avais fait monter pour lui, histoire qu'il n'ait pas faim après.

— Vous pensez vraiment à tout. Martin a bien de la chance de vous connaître.

On lui en avait fait des compliments dans sa vie, mais celui-ci était entré numéro un, dès sa sortie. Il n'avait pas eu le temps de vraiment savourer sa position de tête au palmarès de la joie intérieure, catégorie petites phrases qui n'ont l'air de rien mais font du bien, qu'il était redescendu de vingt places en regardant Louise, soudain inquiète.

— Y a un problème, Louise ?

— Je suis ennuyée de vous demander ça, mais j'ai pas fini mes lits et Martin, va falloir qu'il dorme…

— Il va dormir ici ! Il ira dans la chambre et moi je vais dormir sur le divan… J'adore ça dormir sur les divans !

Louise avait souri. Pas de doute, plus le temps passait et plus elle appréciait cet homme. Non parce qu'il prenait soin de son fils comme personne ne l'avait jamais fait, mais peut-être qu'à se donner ainsi, il dévoilait le meilleur de lui, sans calcul ni intentions masquées.

— Soyez gentil de le coucher dès que vous arriverez. Je n'aurai certainement pas le temps de redescendre l'embrasser avec tous les lits que j'ai en retard pour ces maudits Japonais.

— Vous pouvez compter sur moi !

— Ah, oui, j'allais oublier… Surtout, pensez à lui faire faire pipi avant de le mettre au lit, sinon il va se réveiller rapidement. Et si jamais vous pouvez lui raconter une histoire, c'est mieux.

— C'est comme s'il était déjà au lit !

Georges D'Amour avait peut-être perdu une bataille, mais pas la guerre. Il s'était approché à grands pas de la femme et l'avait joué comme si l'heure était grave.

— Peut-être qu'eux deux ils peuvent aller au Forum, et moi pendant ce temps-là, je peux vous aider à faire les lits?

Si une image vaut mille mots, dans ce cas, le regard que Louise a lancé au gnou en aurait valu dix mille. Une sorte d'anthologie du mépris en dix volumes.

— Georges, mon fils serait très déçu que vous ne teniez pas votre promesse. Comme je ne crois pas que nous aurons la chance de nous revoir, je vous dis *bye* et merci.

Louise n'avait même pas tendu la main. La volonté de Georges D'Amour de quitter les lieux pour mieux y revenir, si possible dans des draps de satin, s'était effritée, presque à s'écrouler.

— Bon, ben, *bye*… et de rien.

Martin Gagnon lui avait collé dans les mains les bâtons de hockey et s'était ensuite empressé de ramasser son équipement de hockey.

— Mais moi, Lagagne, je vais patiner avec quoi?

— Inquiète-toi pas, mon petit Martin, j'ai mon idée. Tu vas avoir les plus beaux patins du monde…

Le Forum n'était plus qu'à trois coins. Si Georges D'Amour portait dans son regard la lassitude des ouvriers qui retournent tête basse à l'usine pour un *shift* de nuit en heures supplémentaires, les yeux de Martin Gagnon brillaient à contempler l'enfant, subjugué de découvrir La Mecque du hockey, là où le Canadien de Montréal avait écrit sa légende de meilleur club de tous les temps, fort de vingt-trois coupes Stanley.

— J'en reviens pas que je vais aller au Forum !

Mettre les pieds dans le temple, ne serait-ce que pour assister à un match debout du haut des gradins, n'était pas une chance, mais un privilège. Les places ici se réservaient à l'année, à la décennie, à la vie. Les abonnements de saison s'offraient en héritage. Obtenir pour l'espace d'un soir un siège tenait du miracle. Le Forum de Montréal n'était pas le poumon de tout un peuple, ni le cœur, il en était l'âme. Celle que l'on ne peut toucher, car elle est autant en nous qu'elle nous survole, jusqu'à prier ensemble, à la même messe.

— *Go, Habs, go !*

Martin Gagnon ne l'a pas voulu, mais en observant l'enfant ne plus ciller pour s'assurer de ne rater aucun détail du monument qui grandissait devant lui, il s'est revu, au même âge, quand pour une seule fois, son père l'avait emmené ici.

— Mon p'tit Martin, écoute bien ce que je vais te dire. Dans la vie il y a ceux qui sont allés au Forum, pis y a ceux qui n'y sont jamais allés.

Mais au-dessus du peuple élu, dont les yeux ont eu le privilège de se poser sur les héros du temple, plane l'ombre de ceux qui y ont joué. En revêtant le maillot tricolore, véritable habit de lumière, ils en deviennent des dieux, sanctifiés de leur vivant, parce que morts, ils ne peuvent plus compter de buts. Mais en trépassant, enterrés six pieds sous glace, certains s'élèvent encore plus haut.

— C'est vrai, Lagagne, qu'il y a des fantômes?

La mort fait parfois grandir. Parce qu'ils ont marqué les esprits, mais surtout des buts, l'intronisation suprême pour ces dieux parmi les dieux est d'être sacralisés «fantômes du Forum». Rendus éternels, la légende prétend que ces ancêtres hantent les lieux pour faire tourner la chance, toujours à l'avantage des Glorieux. Car la croyance, surtout quand elle nous rend plus heureux, permet toujours d'expliquer l'invraisemblable.

— Des fantômes avec des super pouvoirs comme dans les Tortues Ninja?

— Oui, ça ressemble.

— Toi aussi, tu vas devenir un fantôme quand tu seras mort?

Même s'il avait été un temps idole de la foule, Martin Gagnon savait qu'il ne le deviendrait jamais. Avant que la mort te donne cette chance, il faut de ton vivant être sorti de là par la grande porte, non par la plus petite et la plus honteuse, la fuite. Il a cherché quoi répondre à l'enfant, sans lui mentir. Georges D'Amour, tout en soufflant son dépit à voir Pierre-Léon s'arrêter au dernier feu avant le Forum, pourtant au jaune, a répondu pour lui.

— Les fantômes, c'est sur la glace qu'ils te protègent, pas dans les bars !

L'enfant n'a pas compris. Martin Gagnon n'a pas voulu lui expliquer. Il a juste jeté un noir regard à son ancien ami, toujours exaspéré et las de regarder sa montre dans ce taxi qui ne roulait pas assez vite à son goût.

— Hey, chauffeur-l'escargot, on se dépêche, là ! J'ai du monde qui m'attend, moi !

~

Quand le duo de Martin, bientôt sur glace, était sorti de la suite sous les yeux de Louise toujours aussi émue de voir son fils sauter comme une puce à l'idée d'aller patiner là où aucun de ses intimidateurs de deuxième année n'irait jamais, Charles-David les attendait avec son rutilant chariot.

— Monsieur D'Amour nous a dit que vous alliez le rejoindre rapidement avec des bagages. Alexandre a tenu à ce que je vienne.

— Je peux monter?

Tout en déposant le sac de hockey sur le velours rouge de son carrosse, le groom avait laissé le petit Martin y sauter à l'avant. Il avait poussé la gentillesse jusqu'à faire rouler l'engin du plus vite qu'il le pouvait jusqu'aux portes de l'ascenseur.

— C'est moi qu'appuie sur le bouton!

Au rez-de-chaussée, les portes s'étaient ouvertes pour découvrir le concierge venant à peine de raccrocher le combiné du téléphone devant Georges D'Amour qui ne tenait plus en place.

— Bonne nouvelle, monsieur D'Amour! Votre commande ne devrait pas tarder à vous être livrée. Vous ne le savez peut-être pas, mais nous avons demain une arrivée massive de Japonais qui vont largement profiter de notre literie haut de gamme, et comme nous savons prévoir large, nous avions quelques paires de draps de satin de trop. Il me fera plaisir d'en mettre une à votre disposition, cadeau de l'hôtel, c'est quand même Noël!

Au son des pas et du chariot, portant sac et enfant, Georges D'Amour s'était retourné vers le convoi filant vers la grande porte, au bout du hall, direction dehors.

— Lagagne, faut que je te parle!

— Tu me parleras dans le taxi.

— Non, viens, faut que je te parle, *now*, changement de plan!

Martin Gagnon était allé se cacher de la vue de l'enfant, derrière l'une des grandes colonnes de marbre. Le colosse, soufflant vraiment très fort des naseaux, l'avait rejoint.

— Il est trop *cool*, le concierge. Je lui ai demandé une petite livraison, une blonde, une brune, il a réglé ça en deux minutes. Il va faire passer ça dans une facture "soins du corps" sur ta note. Julie n'en saura rien. Je te rembourserai lundi à la pratique, cash. Elles sont en train d'arriver, je suis en feu! En plus, tu sais pas quoi? Il offre les draps en satin jaune!

L'art de l'attaque, fulgurante et définitive, si possible par surprise, Martin Gagnon n'avait peut-être pas su l'enseigner à l'enfant, mais nul doute qu'il le pratiquait encore à merveille. Quand Georges D'Amour s'était retrouvé la nuque collée à la colonne de marbre, il n'avait pas fait « gloup ».

— Lagagne, j'arrive plus à respirer, là.

Combattre aurait laissé des traces. Comment expliquer demain matin à Julie un œil au beurre noir ou une lèvre fendue? Alors, l'homme pressé n'avait pas cherché à se défaire de l'emprise, préférant revenir à l'origine des choses.

— Quand t'es venu chez moi, tu m'as dit que tu allais faire venir des filles à l'hôtel. Tu crois vraiment que je suis là pour faire du baby-sitting?

— Tu as promis, alors tu vas annuler les filles.

— Je vais rien annuler du tout! Toi, tu vas aller faire *Holiday on Ice* avec le *kid* et moi je vais prendre les draps en satin jaune et préparer le lit. Tu vois, je suis un bon gars, je vais même pas demander à la mère de faire la job.

Alors que la nuque de Georges D'Amour semblait déjà bien collée à la colonne de marbre, il avait suffi à Martin Gagnon de presser plus fort son cou pour constater qu'il restait encore de la place. Cette fois, la proie avait entonné le premier couplet d'une chanson très à la mode dans l'hôtel, ce soir-là.

— Gloup!

Dans un rituel bien rodé sur le pauvre Alexandre, tel le boa étouffant sa proie, Martin Gagnon avait calé son épaule sur le torse de Georges D'Amour pour pouvoir approcher son visage du sien et chuchoter à son oreille.

— T'as promis à sa mère d'aller avec lui, mais surtout, tu lui as promis à lui. Alors, tu fais comme tu veux, après, mais tu vas me suivre, fermer ta gueule et gentiment patiner avec moi et le petit.

Georges D'Amour avait laissé son corps se détendre comme s'il l'abandonnait, pour se rendre.

Puis, soudain, sans prévenir, il avait tenté l'art de la défense, fulgurante et définitive, si possible par surprise. Martin Gagnon s'y attendait et il avait immédiatement descendu la main entre les jambes du molosse pour presser les attributs que tout gnou rêvant de gambader joyeux dans la savane ne voudrait voir rendus à l'état de purée, pour rien au monde.

— Gloup! Gloup!

Martin Gagnon n'a pas desserré la prise. Il a juste attendu que le traitement fasse effet.

— D'accord, Lagagne… D'accord… Je viens avec toi et après tu me crisses patience avec ta garderie!

Martin Gagnon avait relâché l'animal. Un sifflement identique à celui d'un pneu crevé avait résonné dans le grand hall. Georges D'Amour avait rajusté son costume, et sans remercier son ancien tortionnaire, il était allé rejoindre l'autre victime de l'attaque fulgurante et définitive, si possible par surprise. Devant son casier à clefs, le concierge avait fait mine de n'avoir rien vu, ni entendu.

— Bonsoir monsieur D'Amour, quel bon vent vous ramène?

Le colosse aux testicules d'argile s'était penché par-dessus le comptoir pour chuchoter ses dernières instructions. L'enfant, qui avait tout vu, s'était approché de Martin Gagnon pour lui prendre la main et l'entraîner dans le hall, vers la grande porte menant à l'extérieur, celle que Charles-David venait de pousser pour eux.

— Votre taxi vous attend.

— Charge le sac et va lui dire qu'on arrive.

Martin Gagnon avait retenu l'enfant pressé pour se tourner vers la réception et s'assurer que Georges D'Amour tiendrait promesse.

— Comprenez-moi, je ne juge pas, je comprends, monsieur D'Amour, je vous ai même aidé à répondre à ce besoin si urgent pour vous, mais si d'aventure un client arrivait et rencontrait vos amies ici, dans ce hall, il pourrait très mal juger notre établissement. Il ne m'est pas possible de les laisser seules dans une chambre, je ne sais pas d'où elles viennent et je les préfère accompagnées…

En sentant, dans la sienne, la petite main de l'enfant, si chaude, Martin Gagnon avait l'impression qu'elle devenait extension de lui-même, jusqu'à les souder. Martin et Martin égalaient un. Mais pour en faire un, il avait fallu être deux. Malheureusement, outre de ne pas reconnaître Louise, rien ne lui permettait de croire que cette mère si préoccupée du bonheur de son fils lui mentait. Mais il aurait tellement aimé que ce petit Martin soit le sien.

— On fait un beau *team* tous les deux!

En glissant cinq billets de vingt dollars sur le comptoir, Georges D'Amour avait trouvé les arguments pour convaincre Alexandre.

— Allez en paix, monsieur D'Amour, je m'occupe de tout! Je vais même leur faire la conversation. Enfin, si elles en ont, bien sûr… Pour les faire patienter, ne doutant pas qu'elles crèveront d'impatience de vous voir arriver, je pourrais peut-être leur servir un petit verre en attendant?

Avant que Georges D'Amour n'ait franchi la moitié du hall, on avait entendu une bouteille être débouchée, suivi par la mélopée du nectar coulant à flot. Martin Gagnon n'avait pas bronché à savoir qu'Alexandre avait encore pioché dans son stock de Cheval Blanc, il s'est juste poussé pour laisser passer l'homme qui marchait vers lui d'un pas pressé.

— Bon, allez, on se dépêche!

❧

Quand le feu au coin d'Atwater et Sainte-Catherine est passé au vert, la Chevrolet a démarré lentement. Les yeux de l'enfant se sont écarquillés à la vue du Forum de Montréal, immense, majestueux, juste en face.

— Continue tout droit, jusqu'au coin de De Maisonneuve.

Le taxi a longé l'immense édifice, laissant défiler les colonnes derrière lesquelles les vitrines laissaient voir les entrailles du Temple, décorées de photos des légendes et de vieux chandails posés sur de vieux patins. Pierre-Léon a arrêté l'auto devant une petite porte de service au bout du bâtiment. Sur la banquette arrière, on a entendu un rugissement de soulagement.

— On risque pas d'avoir battu un record!

Georges D'Amour est vite allé sortir le gros sac de hockey du coffre arrière alors que Pierre-Léon coupait le taximètre.

— Cinq dollars cinquante.

— Laisse tourner le compteur, barre le char et viens-t'en avec nous, on a besoin d'un *goaler*.

— À mon âge, vous croyez?

— J'ai jamais joué avec un vrai gardien de but, moi, y a personne qui veut à l'école.

Le chauffeur a d'abord fait non de la tête mais en voyant l'enfant croiser ses doigts pour que la chance s'en mêle, il n'a pu résister. Il a bondi hors de son auto en perdant d'un coup calme et retenue.

— J'y crois pas, moi aussi je vais jouer au Forum!

Moins d'une minute plus tard, la petite troupe était devant l'entrée de service. Martin Gagnon a tambouriné de la paume sur la surface en acier. Bang! Bang! Bang!

— Mais t'es fou, Lagagne! Tu vas réveiller tout le quartier!

— La ferme, Labarre!

Au bout de deux minutes, personne n'avait répondu. Le regard de l'enfant reflétait l'inquiétude que cette promesse n'ait été qu'un rêve. Il s'est tourné vers l'organisateur de l'activité dont les yeux soucieux ne l'ont pas rassuré. Quant à Georges D'Amour, il avait retrouvé sa bonne humeur.

— Bon, y a personne, y a personne. On reviendra. Allez, Machin-Léon, tu m'ouvres le coffre que je range le stock?

Bang! Bang! Bang! Martin Gagnon a ramassé un peu de neige qu'il a appliquée sur sa paume, endolorie tant il avait frappé fort. Mais à l'intérieur, rien n'avait bougé.

— Bon, tu me l'ouvres ou pas, ce crisse de coffre?

Déçu, mais pas autant que l'enfant, Pierre-Léon a plongé la main dans sa poche pour en sortir les clefs de son taxi. Georges D'Amour les lui a arrachées et il a couru ouvrir le coffre pour y jeter le sac, sans ménagement.

— Bon, je vais prendre le volant, on ira plus vite pour rentrer, parce que Gilles Villeneuve, faut qu'il se repose.

Bang! Bang! Bang! Martin Gagnon ne pouvait se résoudre à abandonner. Le klaxon du taxi a retenti. Au volant, Georges D'Amour a démarré. Le petit Martin avait déjà renoncé à son rêve, tout comme Pierre-Léon qui venait de lui ouvrir la portière. Soudain, une voix d'homme endormi et agacé d'avoir été réveillé a hurlé derrière la porte de fer.

— T'as deux minutes pour crisser ton camp, sinon j'appelle la police!

— C'est moi, Lagagne!

— Oui, pis moi je suis Wayne Gretzky!

Martin Gagnon s'est tourné vers le taxi. Aucun des occupants n'osait le regarder. Il a approché ses lèvres de la fente de la porte pour être certain de bien se faire entendre.

— Gaëtan? Qui d'autre qu'un gars de Sainte-Claire peut savoir que Chez Romuald, c'est bingo de 5 à 7 le lundi?

La lourde porte de métal a été déverrouillée. Un homme, début de la soixantaine, portant une veste d'uniforme bleu marine sur un pyjama chiffonné, a ouvert ses bras pour y serrer celui qui venait de retrouver toute sa splendeur aux yeux de deux de ses compagnons.

— Fallait me le dire que c'était toi! Comment tu voulais que je te reconnaisse avec un sourcil noir et des plumes blanches sur l'autre?

Quant au troisième homme, il a abandonné le volant du taxi pour aller ressortir le sac de hockey du coffre de la voiture et il a fait claquer très fort le coffre.

— Simonac, v'là-t-y pas que l'autre con, il ouvre !

Dans le hall de l'entrée réservée aux joueurs, aux membres de l'organisation, aux VIP et aux journalistes, les effusions entre le gardien de nuit du Forum de Montréal et l'ancienne gloire des lieux, sous les yeux d'un chauffeur de taxi et d'un enfant de première année, suintaient l'intense vérité des retrouvailles qui ne se nourrissent que du sang ou de la terre.

— Pierre-Léon, tu sais pas quoi ? On vient du même village, Gaëtan pis moi !

Martin Gagnon a serré plus fort le vieil homme contre lui. Outre l'origine commune, à bien y regarder, c'était aussi la première personne depuis son retour en ville qui manifestait une joie sincère à le revoir.

— Ça va les fifs ?

Les deux hommes se sont aussitôt décollés. Georges D'Amour a ricané sans saluer le gardien de nuit qui lui a rendu la politesse en posant affectueusement la main sur l'épaule de Martin Gagnon.

— Tu vois, toi, t'as fait les quatre cents coups ici. Mais tous les gars du Forum, ils t'aiment bien parce que t'as toujours pris le temps de leur dire bonjour. Pas comme maintenant où y en a qui se prennent pour des vedettes et qui se pensent bons!

Le propos n'a pas atteint Georges D'Amour, peu enclin à entamer une discussion avec le petit peuple, trop préoccupé par sa montre, surtout la petite aiguille.

— T'as vu l'heure qu'il est, là? Moi, il tourne le compteur, à l'hôtel, pis en plus y en a deux!

Gaëtan a montré aussi peu d'intérêt à écouter D'Amour que celui-ci en avait eu à son égard. Il a préféré poser son dévolu sur l'enfant, caché derrière Pierre-Léon.

— C'est bien ce que j'avais entendu dire, t'as donc bien un fils…

Martin Gagnon a senti ses mâchoires se crisper et son pied battre nerveusement le sol. Le gardien s'est approché de l'enfant.

— Tu t'appelles comment?

— Martin.

— Comme ton papa?

— Ben non! Mon papa il s'appelle pas Martin.

Même réveillé en plein milieu d'une nuit de Noël, donc pas vraiment éveillé, le gardien a eu la lucidité de comprendre qu'il venait de poser le pied en un marécage dans lequel il valait mieux ne pas s'aventurer.

— Bon, qu'est-ce que vous êtes venus faire de beau ici ?

<hr>

Le vestiaire réservé aux joueurs qui ont l'insigne honneur de revêtir le maillot tricolore du Canadien de Montréal constitue le coffre-fort abritant, sous clefs et à double tour, les trésors du Forum. Nul autre que ceux qui suent et saignent dans l'arène ne peuvent y pénétrer, car c'est ici que les légendes vivantes cultivent et se transmettent l'esprit d'équipe qui les unit et les soude jusqu'à ne plus faire qu'un.

— Va t'asseoir là-bas, c'était ma place dans l'temps !

— Non, Lagagne, toi et D'Amour, vous pouvez y aller, mais le petit et ton ami ils peuvent juste regarder, mais pas toucher et pas s'asseoir. Ils vont aller se changer dans la toilette.

Martin Gagnon s'est tourné vers l'enfant marchant tête baissée, tel un paria, vers le couloir, suivi de Pierre-Léon. L'esprit d'équipe, c'est aussi une fidélité dont la solidarité est la pierre angulaire. Le sang de Martin, qu'il avait chaud, n'a fait qu'un tour.

— S'ils vont s'habiller dans la toilette, moi aussi je vais m'habiller dans la toilette !

Gaëtan s'est raidi. En près de quatre-vingts ans d'Histoire, jamais un joueur du Canadien ne s'était habillé dans la toilette. Porter le poids de ce blasphème, ses frêles épaules ne pourraient l'endurer. Vaincu par le poids de l'Histoire, il a désigné les bancs de bois rouge sur lesquels s'étaient posés les culs pleins de sueur des plus grandes légendes du hockey.

— Je cède parce que je t'aime bien, Lagagne… T'es de mon village, pis j'ai été à l'école avec ton père. Pis c'est vrai que ton fi… euh… enfin, le p'tit, là… il a l'air bien gentil.

Le hurlement de joie poussé simultanément par l'enfant et Pierre-Léon a rempli le vestiaire. Martin Gagnon n'a pas souri, trop occupé à observer le gardien des lieux, incapable d'imaginer que le petit n'était pas le fils du grand.

— Bon, ben, moi, je vais allumer la lumière sur la glace et installer un but!

Sitôt dit, sitôt fait. Il a disparu.

— Hey, Gaëtan! Viens-t'en!

Le vieux cerbère en veste d'uniforme sur pyjama n'est pas vraiment revenu. Du couloir, on a juste entendu une voix, déjà très lointaine.

— Oui…

— Le petit n'a pas de patins. Rends-moi un service, s'il te plaît.

Un casque sur la tête, un chandail du Canadien sur le dos, ses culottes, ses bas, et ses patins aux pieds, Martin Gagnon nouait la boucle des lacets de l'enfant, habillé maintenant exactement comme lui. Enfin, presque.

— Tu te rends compte, tout ce que tu as sur toi, c'est Dickie Moore qui jouait avec!

À l'interrogation soudaine sur le visage de l'enfant, certain qu'il cherchait dans quel dessin animé il avait bien pu entendre ce nom, Gaëtan est venu à la rescousse de son compatriote de village dont la mine déçue semblait indiquer qu'il n'avait envisagé rien de moins qu'une *standing ovation*.

— Je suis allé le chercher spécialement pour toi dans une des vitrines des légendes, au premier étage.

— Moi, quand j'avais ton âge, je rêvais de devenir lui!

L'effet sur le petit Martin a été inversement proportionnel à l'intensité qu'avait mis le grand pour dévoiler son rêve d'enfance. Si la passion est contagieuse et peut même se partager, on ne peut la transmettre au seul désir de l'aîné. Sinon, elle devient forcée et ceux qui en héritent n'y trouveront pas chaussure à leur pied.

— Ils sont tout vieux, mes patins…

— Mais tu vas voir, ils sont magiques!

— Pis il sentait mauvais des pieds, Dickie Moore.

— Si tu savais combien de buts je l'ai vu compter à *La Soirée du hockey*, tu dirais pas ça!

Le souvenir de nos jeunes années n'est pas héréditaire, ni transmissible. Il n'est que la perception d'instants sublimés, véritable patrimoine personnel et intime. L'enfance n'est que la fondation de l'être de demain. Il ne faut pas tenter de la revivre, il faut juste la garder en soi, sans la déguiser.

— Vous avez vu le temps que vous mettez pour vous habiller? Si dans deux minutes on n'est pas sur la glace, moi je sacre mon camp.

Georges D'Amour avait opté pour le minimum syndical, n'ayant enfilé que ses patins, tout en conservant son costume gris. Il s'est tourné vers Pierre-Léon qui, pour avoir été intronisé gardien de but, n'avait pas fini de lacer ses jambières.

— Mine de rien, je vais être le premier joueur noir à enfiler le chandail du Canadien!

Quand Martin Gagnon s'est levé, l'enfant l'a admiré jusqu'au sommet du casque.

— Wow…

Surélevé de quelques centimètres grâce aux lames des patins, dans sa tenue de hockeyeur dont les épaules donnaient à croire qu'elles ne pourraient jamais passer à travers la porte tant les protections les élargissaient, l'homme qui regardait l'enfant avec tendresse ne paraissait rien de moins qu'immense.

— Wow…

— Tu trouves que je ressemble à une Tortue Ninja, hein?

— Oh non, pas du tout!

— Ah bon…

— On dirait plutôt Superman!

Si Martin Gagnon n'a pas allumé ses turboréacteurs pour décoller de joie dans les airs, c'était uniquement parce qu'il ne voulait pas se cogner dans le plafond et y faire un trou. Et surtout, il aurait perdu les yeux de l'enfant qui le contemplaient avec une intensité où l'admiration se mêlait avec quelque chose de bien plus fort encore. Les longs silences laissent aux regards le soin d'écrire les plus belles pages, celles d'un journal intime qu'on offre à lire aux yeux de l'autre. Mais quand on n'aime pas la lecture, on se lasse bien vite.

— Là, moi, je m'en retourne à l'hôtel, j'ai l'impression d'être dans une garderie de petits débiles!

Georges D'Amour n'a mis que quelques secondes à délacer ses patins et les jeter au sol, au beau milieu du vestiaire sacré. Il a enfilé ses chaussures de ville et attrapé son manteau. Au pas de la porte du vestiaire, il a pointé du doigt Gaëtan en se grattant l'entrejambe.

— Tu diras au gars de l'équipement de me changer mes lacets. Je sens qu'ils vont me porter malheur, ceux-là. T'as compris ?

Martin Gagnon n'a pas tenté de rattraper le gnou pour qui l'appel de la savane avait été le plus fort. Il a saisi un de ses bâtons de hockey et l'a placé debout devant l'enfant. De l'ongle de son pouce, il a gravé une ligne juste à la hauteur du menton. Il s'est redressé, a relevé un genou, puis de ses bras a brisé le bâton en le frappant à l'endroit désigné. Il a rendu à l'enfant son bâton, maintenant taillé sur mesure.

— Wow… Même Superman y sait pas faire ça…

La période d'échauffement sur glace a été un peu plus longue que prévu. Si Pierre-Léon avait le cœur à jouer, il n'avait pas les jambes pour supporter sa passion.

— Vous savez, en Haïti, on ne fait pas de patin à glace, et maintenant que ça me revient, je n'ai jamais patiné de ma vie. Excusez-moi de ne pas vous l'avoir dit, mais pour rien au monde je n'aurais voulu rater ça.

Martin Gagnon glissait en dessinant de grandes arabesques sur la glace, suivi de près par l'enfant, patinant du plus vite qu'il le pouvait. Il a jeté un regard amusé au chauffeur de taxi, à quatre pattes, qui, appuyé sur ses gants et ses jambières, venait enfin d'atteindre son but, ou, plus précisément, le but, dont les épais poteaux rouges l'ont bien aidé pour se relever. Mais le cerbère, à peine debout, a failli retomber quand une voix grave a résonné des haut-parleurs accrochés au plafond pour dévaler les gradins vides jusqu'à emplir toute la patinoire.

— Mesdames et messieurs... Veuillez vous lever pour l'interprétation des hymnes nationaux.

Gaëtan, ravi par la promotion soudaine de passer de gardien de nuit à homme-orchestre, en pleine lumière, était installé derrière l'immense console dans les hauteurs du Forum. Pour l'occasion, il avait fait tomber la veste d'uniforme pour ne garder que celle du pyjama. Sans voir que l'enfant s'était mis au garde-à-vous, tout comme Pierre-Léon, Martin Gagnon a hurlé à DJ-Gaëtan :

— Laisse faire les hymnes, on va sauter tout de suite à la mise au jeu ! Fais jouer l'orgue !

Quand le grand Martin a patiné vers le centre de la glace, le petit le suivait de loin, le coup de patin maussade. Sans attendre, il a freiné en envoyant voler un nuage de glace puis s'est mis au garde-à-vous.

— C'est bon, Gaëtan, envoie les hymnes nationaux !

❧

L'enfant, transfiguré par la joie, a patiné les bras au ciel après avoir marqué un but contre Pierre-Léon. À l'orgue, Gaëtan a interprété le *jingle* de circonstance et il a repris le micro..

— But de Martin, son vingtième de la soirée… sur une passe de… Martin!

Le petit marqueur de buts s'est jeté dans les bras du grand passeur pour célébrer. Tout en levant l'enfant dans le ciel, Martin Gagnon n'a pu s'empêcher de chercher à se rappeler jusqu'à quel âge le hockey avait été pour lui un plaisir. Il devait être trop jeune, il ne s'en souvenait plus.

— C'est trop le fun de jouer avec toi, parce que les deuxième année, ils font jamais de passes!

— Faut rentrer maintenant.

— Oh, non…

Dans les haut-parleurs, la voix de Gaëtan, qui semblait adorer sa nouvelle vie, a fait l'effet perroquet.

— Oh, non…

Seul, Pierre-Léon, agrippé à son poteau rouge, n'a rien dit. À son langage corporel, on sentait son rêve accompli et rien n'indiquait qu'il en reprendrait avec plaisir une tournée. Martin Gagnon n'a pas tenu longtemps devant l'enfant qui le suppliait des yeux. Il s'est tourné vers celui qui ne rêvait plus que de retrouver son taxi.

— Pierre-Léon, rentre au vestiaire, on va faire quelques *slapshots* le temps que tu te rendes à la porte.

Tel Jésus portant sa croix, Pierre-Léon, à genoux, a commencé à ramper vers la balustrade alors que l'enfant bondissait de joie.

— Youpi !

Et dans les haut-parleurs du Forum, le perroquet a dit :

— Youpi !

Le grand Martin a placé l'enfant à environ quinze pieds du but. Il s'est rangé sur le côté et doucement, il a fait glisser la rondelle vers le petit joueur. L'enfant a levé son bâton, en se déhanchant naturellement pour s'offrir la meilleure rotation du bassin possible. Lorsque le disque de caoutchouc est arrivé à quelques centimètres de la zone d'impact, il a fait usage d'un élixir très personnel pour se donner encore plus de force.

— À moi, le super pouvoir de Superman !

Dans un parfait synchronisme, il a laissé redescendre ses mains devant lui, entraînant le bâton et la palette. Elle a fendu l'air en accélérant sous l'effet de rotation sans qu'il semble faire d'effort, tant le rythme était parfait. Le contact avec la rondelle a été sec, rapide, et surtout précis. Au son, Martin Gagnon a compris. La perfection d'un tir ne se voit pas, elle s'entend. La rondelle a décollé dans les airs, mais n'est pas entrée dans le but. Elle a frappé le poteau rouge si fort que le bing a résonné dans l'amphithéâtre vide. Pierre-Léon s'en est même étalé sur la glace. Seule la voix dans les haut-parleurs a fini par recouvrir le son strident qui n'en finissait plus.

— Wow…

Ce « wow », Martin Gagnon l'avait déjà entendu. Il se souvenait de chacune des secondes qui l'avaient suivi. Son père s'était agenouillé devant lui, sur la petite patinoire du jardin de sa maison de Sainte-Claire.

— Tu as de l'or dans les mains, mon petit Martin. Tu comprends ce que papa te dit? De l'or!

Ce soir-là, son père avait découvert ce bras un peu plus court que l'autre. Cette particularité qui, selon lui, offrait cette rotation si fluide qui ne se transmettait que de père en fils.

— Tu te rends compte, on a les bras pareils parce qu'ils sont pas pareils?

Martin Gagnon a patiné vers l'enfant. Ce qu'il allait découvrir, il le pressentait. Non, il le savait. Sa tête bourdonnait, presque à en voir trouble. Ce petit homme avait beau être blond aux yeux marron, lui, brun aux yeux bleus, cela ne voulait rien dire. Il s'est arrêté devant l'enfant et lui a enlevé ses gants.

— Mets tes mains devant toi et tends tes bras !

SI C'EST PAS MOI LE PÈRE, C'EST QUI ?

Dès que le taxi a ralenti devant l'hôtel, Charles-David, brandissant un parapluie noir, est apparu et il a dévalé les marches jusqu'au trottoir. Avant d'ouvrir la portière, il a attendu que le client règle sa course.

Dans l'habitacle, Pierre-Léon a mis la main dans sa poche avant que Martin Gagnon n'en ait le temps.

— Je te dois combien ?

À l'avant, le chauffeur, qui portait une tuque aux couleurs des Nordiques de Québec, a mis ses lunettes de presbyte pour regarder son compteur.

— Six dollars et vingt.

— Pas question que tu payes, Pierre-Léon ! Attends, on va sortir et je vais prendre l'argent qu'est resté dans le pantalon qu'est dans mon sac dans le coffre.

Le chauffeur de taxi déchu ne l'a pas écouté et il a tendu un billet de dix dollars à son confrère.

— C'est de ma faute, j'aurais dû tout de suite récupérer les clefs de mon taxi quand je les ai laissées à votre ami. C'est une faute professionnelle, je dois la payer.

Le conducteur s'est tourné pour rendre la monnaie à Pierre-Léon et il a tendu un reçu vierge et un stylo à Martin Gagnon.

— C'est vrai que je prends pour les Nordiques, mais d'avoir un joueur du Canadien avec tout son stock dans mon auto, ça arrivera qu'une fois dans ma vie!

Toujours vêtu de son chandail, ses culottes, ses bas, mais sans ses patins, les ayant troqués pour ses mocassins, l'ennemi juré a rapidement écrit « Amitiés sportives », y a ajouté « 69 » puis il a signé. Charles-David a choisi ce moment pour ouvrir la portière et s'est effacé pour laisser sortir les trois passagers. Mais il en manquait un à l'appel.

— J'ai mal aux jambes, je suis fatigué, là…

Martin Gagnon s'est penché pour prendre l'enfant dans ses bras. Le petit, tout naturellement, a posé sa tête sur la grosse épaulette. Tout en plaçant le parapluie au-dessus des têtes de l'homme et de l'enfant, Charles-David a remis un trousseau de clefs à Pierre-Léon.

— Je me suis permis de garer votre auto plus loin, au coin de la rue, en sécurité. Vous m'excuserez si votre siège est encore humide, mais monsieur D'Amour a laissé la portière ouverte et il a beaucoup neigé dessus avant que je ne le remarque.

— Tu n'y es pour rien, mon p'tit, c'est le ciel qui me punit de mon erreur. Et tu sais, ce que je viens de vivre vaut bien de finir la nuit le cul mouillé. *Se bon dye ki konnen!*

Pierre-Léon s'est approché de l'homme qui lui avait fait passer ce moment unique. Il l'a dévisagé un instant avant de laisser glisser ses yeux sur le petit Martin, agrippé à lui.

— Faites attention. Souvent, l'homme voit ce qu'il veut voir, plus qu'il ne voit ce qui est vraiment.

Le chauffeur a donné un tendre baiser sur le front de l'enfant avant de s'éloigner vers son taxi retrouvé. Martin Gagnon, cherchant à comprendre le sens de ses mots, l'a regardé disparaître, pensif. Il a attendu que Charles-David sorte le sac de hockey et les bâtons du coffre pour marcher lentement vers l'escalier menant aux portes de l'hôtel.

— Lagagne, je pense que ça serait plus prudent de passer par l'entrée du personnel. Il y a du monde à la réception et je ne suis pas certain que vous aimeriez les voir... ni... euh... les entendre.

— Ah bon, qui ça?

❦

Dès les premières marches gravies dans l'étroit escalier par lequel entrait le petit personnel que les clients ne devaient pas remarquer, des voix hurlant dans le hall se sont fait entendre.

— Tu vas me le payer !

— Pitié, non !

Arrivé au palier, Charles-David a fait signe à Martin Gagnon, l'enfant sommeillant toujours dans ses bras, de le suivre dans un couloir de service dont les murs austères tranchaient avec le luxe de l'établissement. Le groom a délicatement ouvert une porte pour se retrouver dans le bureau du concierge. Dans la poubelle, le client a aperçu deux bouteilles de Cheval Blanc vides. Il n'a pas cherché à découvrir où était la troisième, trop intéressé par l'autre porte, devant lui, qui donnait accès au comptoir de la réception. Pour mieux entendre, il y a collé l'oreille. Charles-David a déposé le sac de hockey au sol et il s'est approché pour vite décrocher un cadre. Il a fait signe à Martin Gagnon de le rejoindre. Au son, celui-ci allait maintenant pouvoir joindre l'image. Le miroir de la réception, entre le casier et la porte du bureau d'Alexandre, était sans tain. La première chose qu'il a vue, c'était la nuque du concierge qui suait à grosses gouttes.

Sur le fauteuil empire, Georges D'Amour, avachi, avait perdu toute sa superbe.

— C'était pour Lagagne, les filles, je faisais juste discuter avec elles en attendant qu'il arrive et après je rentrais à la maison. Je te jure!

— Ah oui, en bobettes avec des draps en satin pour te faire une cape en poussant des cris d'animaux alors qu'elles couraient toutes nues en lançant des orchidées sur le lit?

Acculé, la peur déformant son visage, le gnou n'était plus à gambader dans la savane. Il faisait face au lion. Non, c'était bien pire que le lion. Il avait devant lui une lionne défendant ses petits.

— Avec les filles, je garde la maison, le camion, le chalet et le condo en *timeshare* à Miami. Je te laisse le *shack* de tes parents à Rouyn-Noranda et la Renault cinq. Tu pourras passer lundi chercher tes affaires, je te mettrai ça dans des sacs de vidange. Et t'oublies pas d'appeler avant d'arriver que je fasse venir mon avocat, il va avoir fait les calculs pour la pension alimentaire et le partage des comptes.

— Mais Julie, tu te rends compte de ce que tu me dis?

— Si le *deal* ne te paraît pas *fair*, on ira en cour. Mais je te préviens, les photos qu'a faites ce soir l'huissier, je les donnerai au *Journal de Montréal* et je te saignerai jusqu'à ta dernière cenne!

Martin Gagnon a regardé derrière Julie. Un homme, vêtu d'un costume noir sous un manteau gris, petite moustache et lunettes fines, sortait la bobine d'un appareil photo. Georges D'Amour s'est levé pour marcher vers celle qui reculait.

— Si tu me touches, je porte plainte !

Le colosse s'est écroulé à genoux et son visage s'est ainsi trouvé à la même hauteur que celui de sa femme, petite, mais grandie par la colère.

— Julie, je te jure, j'y suis pour rien ! T'as vu comment je l'ai viré de la maison comme tu m'as dit ? Mais il m'a supplié… Euh, non, il m'a forcé… Je voulais pas, moi. Pis il m'a envoyé dans cette chambre sous la menace. Je te jure Julie, il faut me croire ! Tu peux même demander au concierge si tu veux !

Les restes du couple, d'un même mouvement, se sont tournés vers le comptoir de la réception. Ils n'y ont rien aperçu et Julie n'a rien pu demander à personne. D'où il était, Martin Gagnon avait tout vu. Alexandre, accroupi, avait saisi sa bouteille de Cheval Blanc pour s'en resservir un verre qu'il a vidé cul sec. Il a fait un rapide signe de croix avant de se relever.

— Ici l'hôtel Saint-Régis, que puis-je faire pour vous servir ? *How may I help you ?*

Georges D'Amour a rampé jusqu'au comptoir. Il y a posé ses gros avant-bras et il a fait des clins d'œil à répétition au concierge, que Julie ne pouvait voir.

— Moi j'ai rien à voir avec les filles, hein? C'est Gagnon qu'a tout monté, hein?

— Hum… Hum… Excusez-moi, monsieur D'Amour, mais notre établissement a une réputation. Ça n'est pas dans nos habitudes, ce genre de visite. Vous êtes conscient que si cela venait à se savoir, le personnel présent serait immédiatement renvoyé… Donc, ne m'en voulez pas mais je n'ai aucune idée de la manière dont ces jeunes femmes ont pu se retrouver ici. J'ai beau chercher à me souvenir, franchement, ça ne me revient pas.

Julie D'Amour a refermé son manteau d'un coup de zip et a fait signe à l'huissier de la suivre. Elle n'a pas eu le temps de faire un pas que l'homme à genoux, encore légalement son mari, s'est relevé d'un bond pour lui barrer la route. Dans l'urgence, il n'a pas pris une seconde pour bien peser ses mots. Il aurait dû.

— Il ment, Julie, il m'a même dit qu'il allait me faire une facture "soins du corps" sur la note de Gagnon!

La femme a toisé son mari, enfin son ancien, avec un regard empli d'un quart de pitié, d'un quart d'évidence, d'un quart d'amusement et d'un quart de fatalité. L'homme, qui avait déjà dû voir ces yeux posés sur lui, a rembobiné son texte pour le réécouter. Il a entendu et compris ce qu'il venait de dévoiler. Julie ne lui a pas laissé le temps de trafiquer ou d'effacer l'enregistrement.

— Comment peux-tu être aussi con ?

— Euh… Attends, je vais t'expliquer, Julie… Euh… Attends…

Derrière le miroir, l'enfant dormant sur ses épaules, Martin Gagnon n'a plus voulu regarder Georges D'Amour continuer à chercher ses mots pour répondre intelligemment à cette question sans voir que Julie n'était plus là. Il n'a pas pensé aller le soutenir. En cet instant, la détresse de l'époux qui venait de se faire dévorer tout cru par sa femme ne l'atteignait pas, pas plus que la joie du concierge, soulagé d'avoir sauvé la réputation de l'établissement, mais surtout sa peau.

— Je vous appelle un taxi, monsieur D'Amour ? À moins que vous ne préfériez prendre une chambre… *single* ? Vu l'heure qu'il est et ce que j'ai entendu de votre conversation, je me sens obligé de vous proposer un bon prix… Que diriez-vous de cinquante pour cent ?

Martin Gagnon, d'un mouvement de la tête, a intimé à Charles-David de le suivre avec le sac de hockey et les bâtons. Il est sorti du bureau par l'escalier de service pour monter aux étages sans que

personne le voie. Il a bien pensé s'arrêter au huitième pour parler à Louise de l'incroyable tir de son
fils. Mais dans ses bras, l'enfant dormait. Puis, il
savait que la jeune femme devait au plus vite ter-
miner les lits des Japonais attendus au soleil levant.
Et surtout, en repensant au formidable hara-kiri
que le sumo D'Amour s'était infligé sous ses yeux,
il a préféré renoncer à parler sans avoir bien réfléchi
au préalable. Si le résultat de ce qu'il allait dévoiler
devait changer sa vie pour toujours, il n'en était
plus à cinq minutes près.

Martin Gagnon a délicatement refermé la
porte de la chambre après avoir déposé l'enfant
sur le grand lit. Toujours habillé de sa tenue
de hockeyeur, il a rejoint Charles-David qui l'attendait avec le sac de hockey et les bâtons dans
l'entrée.

— C'est beau, mon homme, tu peux tout laisser
à terre!

Il s'est penché pour récupérer son pantalon,
maintenant fripé, et il a plongé la main dans la
poche pour prendre un billet de vingt dollars qu'il
a tendu au jeune homme.

— Non, merci, Lagagne, c'est pas la peine.

— Allez, prends-le, t'as toujours été bon pour moi.

— Non, vraiment, j'en veux pas, je le fais pas pour l'argent.

Le joueur de hockey a dévisagé le groom qui n'a pas baissé les yeux, comme s'il voulait laisser le temps à son interlocuteur d'y lire toute sa sincérité. La lecture a été rapide, Martin Gagnon, presque gêné de ce qui ressemblait à une déclaration, a vite remis le billet dans sa poche.

— Bon, là, faut que je réfléchisse à des choses importantes.

À la grande surprise du client, le jeune homme n'a pas bougé. Il a juste baissé la tête.

— Lagagne, je peux te demander quelque chose ?

— Ben, oui, si c'est pas trop long.

— Quand t'es arrivé ici, je t'ai dit non, mais maintenant, je veux bien.

Martin Gagnon, sans qu'il le veuille, mais guidé par une curieuse impression, a repensé au quiproquo gênant, surtout entre hommes, au sujet de sa défunte bague de la coupe Stanley. Il n'a rien dit, se contentant de regarder, sans malice, le groom.

— Tu te souviens, Lagagne, quand tu m'avais proposé de me donner un bâton signé ?

— Oui. Je me souviens.

— J'avais refusé…

— Oui.

— Ben maintenant, j'aimerais bien ça, en avoir un.

— Tu t'es mis à aimer le hockey?

— Non, c'est pas le hockey que j'aime bien maintenant…

Martin Gagnon n'a pas su comment interpréter les mots de Charles-David, mais, surtout, il n'a pas essayé. Il s'est penché pour ramasser un de ses bâtons puis il a marché jusqu'à la table basse pour prendre le feutre noir. Il s'est assis et a posé le manche sur ses genoux pour y écrire.

— Qu'est-ce que tu veux que je mette?

— Ce que tu veux…

Le champion n'a pas voulu écrire «À mon ami Charles-David, amitiés sportives», car même s'il ne savait trop à quoi attribuer le soudain élan du groom à son égard, qu'il ne voulait surtout pas blesser, il souhaitait cependant lui signifier qu'il l'appréciait plus que les autres. Ça lui a pris un peu de temps, mais il a fini par trouver les bons mots qu'il a égrenés au fil de sa lente écriture.

— À… mon… vrai… ami… Charles… David… amitiés… sportives!

Après avoir renoncé à ajouter « 69 », il a signé le bâton et il l'a tendu au jeune homme qui a regardé la dédicace sans pouvoir s'empêcher de rougir, mais surtout sans plus pouvoir bouger. Martin Gagnon s'est vite relevé.

— Bon, là, faut vraiment que tu me laisses seul, je dois me concentrer…

— Oui, Lagagne, excuse-moi de t'avoir dérangé. À plus tard.

— Oui, c'est ça, à plus tard.

Quand le groom a refermé la porte, Martin Gagnon était déjà assis sur le fauteuil. Il s'est penché en avant et a posé la tête entre ses mains. Il lui fallait faire le tri dans tout ce qui lui était arrivé cette nuit, se souvenir des événements, des indices, des mots de chacun, des preuves accumulées, pour démasquer Louise en douceur et préserver, ainsi, la relation.

— À nous deux, ma belle…

Qui avait pu amener l'enfant et sa balle rouge à la porte de l'unique chambre occupée ce soir-là dans l'hôtel en étant certain qu'il serait dedans?

— Louise!

Qui avait un passe-partout et pouvait entrer à volonté dans sa chambre et y cacher une casquette, par exemple?

— Louise!

Qui avait inventé une histoire abracadabrante de voyageur qui ne revenait jamais pour faire croire à son fils qu'il avait bien un père sans qu'elle ait jamais à le lui présenter?

— Louise !

Qui lui avait demandé de garder l'enfant dans sa chambre, sans même le connaître ?

— Louise, toujours Louise et encore Louise !

Qui avait fait en sorte qu'il se retrouve en face de Michel Mercier, son ancien coach du Canadien de Montréal, pour qu'il lui lance au visage que « les filles d'un soir, c'est comme une saison au hockey, faut attendre neuf mois pour connaître le résultat final » ?

— Ginette…

Ginette était-elle la complice de Louise ?

— Ça, ça serait la cerise sur le sundae !

Le scénario d'un coup monté entre la femme de ménage et la cuisinière paraissait à première vue totalement improbable puisque aucune des deux ne pouvait prévoir où, ni à quelle heure, il allait souper en pleine nuit, car lui-même l'avait ignoré jusqu'au dernier moment. Sa destination finale, il ne l'avait connue qu'au moment de la dévoiler à…

— Pierre-Léon !

Pierre-Léon qui l'avait attendu devant la maison de Georges D'Amour malgré qu'il lui ait demandé de ne pas le faire. Pierre-Léon, comme par hasard, toujours en bas avec son taxi à le guetter. Pierre-Léon qui avait passé un coup de fil de chez Ginette. Pierre-Léon qui avait mené l'enfant à l'hôtel.

Pierre-Léon qui avait même accepté de patiner au Forum, histoire de ne pas le perdre de vue dans sa filature.

— Un Haïtien qui veut jouer au hockey? Mais comment j'ai pu avaler ça?

Martin Gagnon a ensuite voulu étudier le sens de cette phrase qui l'avait laissé perplexe quand Pierre-Léon la lui avait lancée avant d'aller retrouver son taxi perdu:

— Faites attention. Souvent, l'homme voit ce qu'il veut voir, plus qu'il ne voit ce qui est vraiment…

Cette phrase était codée, pas de doute. Mais le temps lui manquait pour la décrypter. Peut-être le chauffeur-menteur avait-il simplement cherché à l'envoyer sur une fausse piste en se pensant bientôt démasqué? Le plus important pour le moment était de revenir à cette conversation avec Gaëtan qui lui avait permis de comprendre que cette nuit folle, sept ans plus tôt, venait enfin de délivrer une partie de son secret.

❧

Soutenu par l'enfant, Pierre-Léon venait d'atteindre la balustrade permettant d'échapper à la glace, bien trop glissante pour lui, quand Martin, avait cueilli Gaëtan au pied des gradins du Forum.

— Merci Lagagne, ça faisait si longtemps que j'avais pas eu du fun de même! J'ai l'impression d'être dans un rêve.

— Quand on est arrivé, t'as dit que t'avais entendu dire que j'avais un fils. C'est Michel Mercier qui t'a dit ça?

Le gardien s'était vite réveillé et le sourire avait disparu.

— Je sais plus, Lagagne, je me souviens plus… Des rumeurs, y en a tout le temps ici… J'ai dit ça comme ça, j'ai pas fait attention… S'cuse-moi… C'est pas tous les jours qu'un joueur arrive en pleine nuit avec un enfant qu'est pas le sien quand t'es en train de dormir… Bon, faut que j'aille éteindre les lumières, là. Pis merci encore pour le bon moment… Franchement, tu m'as trouvé comment, au micro?

Gaëtan avait tenté de s'échapper vers les boîtiers électriques, mais quand on a de petites jambes, ceux qui en ont de grandes vous rattrapent vite. Et s'ils se mettent devant vous, telle une muraille, ils vous arrêtent, net.

— Arrête de me niaiser, Gaëtan. T'as pas dit ça pour rien!

— Je t'ai tout dit.

— On est du même village, quand même!

— Lagagne, dans trois ans, je serai à la retraite et je sais même pas ce que je vais faire après. Le Forum, c'est toute ma vie.

— T'es un p'tit gars du village, Gaëtan.

— Arrête avec le village ! C'est loin, le village. C'est fini tout ça !

À défaut de revenir à l'esprit villageois, Martin Gagnon est revenu à ce bon vieux temps qui unit les êtres, paraît-il, à tout jamais.

— Je t'en supplie... Tu m'as connu haut de même... C'est même toi qui m'as fait faire mon premier tour de Zamboni. Qu'est-ce que Mercier a voulu me dire ?

— Crois-tu que le coach, il vient me parler à moi ? Tu le sais, personne me parle... Ils me voient mais j'existe pas... T'as vu comment il me traite, D'Amour ?... J'entends juste des bouts de phrases quand ils passent devant la barrière... Je fais juste les recoller... Pis, des fois, les phrases, elles ont rien à voir les unes avec les autres... Alors quand je les mets bout à bout, ça veut rien dire... Et, dans la vie, quand on n'a rien à dire, vaut mieux se taire.

Martin Gagnon avait opiné du menton pour mettre un terme à la discussion. Le vieux gardien avait disparu dans l'allée, entre la balustrade donnant sur la glace et les gradins. Puis on avait

entendu un clic et de nouveau le noir était redevenu maître des lieux. À son retour, il avait retrouvé
le joueur, prostré dans les gradins, au quatrième
rang, dans les rouges.

— Faut partir maintenant. On se revoit lundi à la
pratique.

— Tu as vu la *shot* qu'il a ? Il tient ça de qui,
d'après toi ?

Martin Gagnon s'était alors redressé sur le siège
et avait croisé les bras, signifiant ainsi qu'il ne bou-
gerait pas. Gaëtan en avait souri, tant la posture
ressemblait à celle d'un enfant boudeur. Et là, il
avait craqué.

— Une histoire de fête dans un hôtel... Pis un
enfant à naître... Une fille s'est plainte au club...
Le club n'a rien voulu savoir... C'est tout ce que
j'ai entendu... Tu vois que ça veut rien dire. Tu sais
tout, maintenant. Mais dis jamais que c'est moi qui
t'ai dit ça, je t'en supplie, Lagagne.

Les deux hommes s'étaient levés pour descendre
les quelques marches jusqu'à la glace afin de la
traverser, l'immense joueur prenant soin de patiner lentement, pour que le petit gardien de nuit
s'accroche à lui et ne chute pas à vouloir le
suivre.

— T'as jamais pensé à le revoir, ton père ?

— Non.

293

Sans un mot de plus, les deux hommes avaient atteint l'autre côté de la patinoire. En posant un patin sur la terre ferme, Martin Gagnon avait lâché, l'air de rien :

— Et toi, tu le vois ?

— Non… Je reste en ville à l'année longue et lui, l'été, il va à Old Orchard depuis qu'il est à la retraite. Je l'ai des fois croisé au 5 à 7 bingo, Chez Romuald. Bonjour-bonsoir. Mais on s'est pas vraiment reparlé depuis, je dirais… cinq bonnes années ! Depuis que t'es parti du Canadien, quoi.

— Ça fait sept ans.

— Ça passe tellement vite…

— C'est la vie.

— Tu devrais un jour essayer de lui reparler, tu sais.

Après s'être assuré que l'enfant dormait profondément, Martin Gagnon est allé dans la salle de bain du couloir retirer son équipement de hockeyeur. Il l'a laissé tomber sur le carrelage et s'est aspergé le visage d'eau fraîche. Il a enfilé un survêtement avant de retourner s'asseoir dans le fauteuil pour se concentrer sur cette enquête qu'il se surprenait à mener si rondement.

— C'est tellement clair dans ma tête !

Il a tout de même eu besoin de la prendre à deux mains, sa tête, tant elle lui paraissait lourde. Soudain, on lui a tapé sur l'épaule. Il a sursauté. Derrière lui se tenait l'enfant, une main sur son entrejambe.

— J'ai pas fait mon pipi avant le dodo et tu m'as pas lu d'histoire.

Comment avait-il pu oublier le pipi et l'histoire? Pourtant, Louise le lui avait bien dit. Il aurait dû le noter sur sa liste.

— Bon, va faire pipi et après on verra pour l'histoire parce que je pense qu'il est beaucoup trop tard. C'est pas raisonnable, il faut que tu dormes, maintenant.

Cinq minutes plus tard, l'enfant était dans le lit, bras croisés, à regarder son gardien qui tentait de s'expliquer.

— C'est que j'en connais pas, moi, d'histoires. Pis j'ai pas de livres. Tu sais, je lis pas beaucoup, mais demain on ira en acheter, autant que tu veux… Je vais m'y mettre et je te les lirai. Allez, c'est l'heure de se coucher.

— Moi, je sais où il y en a. Et tu vas voir, je vais même pas sortir du lit pour le trouver!

Un instant plus tard, Martin Gagnon était adossé à la tête de lit, les jambes étendues, la lampe de chevet éclairant le bel ouvrage qu'il venait d'ouvrir.

L'enfant s'était mis sous la couverture, le visage posé sur l'oreiller, pour bien voir la première page qui venait de se tourner.

— C'est quoi le livre?

— Euh… l'histoire de… la planète… euh… Ninja!

L'enfant a frémi de plaisir et s'est recroquevillé sous les couvertures. Martin Gagnon s'est raclé la gorge et, laissant son doigt filer lentement le long des mots, il a commencé à narrer la belle histoire.

— Au commencement… Splinter créa les cieux et la Terre. La Terre était informe et vide : il y avait des ténèbres à la surface de l'abîme et l'esprit des Tortues Ninja… se mouvait au-dessus des eaux… Donatello dit : Que la lumière soit!

L'enfant, accroché par ce début prometteur dont il semblait avoir entendu chacun des mots dans ses dessins animés préférés, n'a pu s'empêcher de remonter les draps jusqu'au milieu de son visage, sans cesser de dévorer le livre des yeux.

— Et après?

— La lumière fut!

— Wow…

— Michelangelo vit que la lumière était bonne et Raphael sépara la lumière d'avec les ténèbres. Splinter appela la lumière, jour et il appela les ténèbres, nuit.

— Il est trop fort, Splinter, avec ses pouvoirs magiques !

Martin Gagnon, se prenant au jeu, s'est lancé dans les lignes suivantes en y ajoutant l'intonation que méritait ce grand texte.

— Ainsi, il y eut un soir et il y eut un matin : ce fut le premier jour. Leonardo dit : Qu'il y ait une étendue entre les eaux et qu'elle sépare les eaux d'avec les eaux. Et Splinter fit l'étendue, et il sépara les eaux qui sont au-dessous et il appela l'étendue ciel.

L'enfant a rabaissé le drap qui couvrait la moitié de son visage et il a réfléchi. Il a levé les yeux, incrédules, vers son conteur.

— Mais ça se peut pas, ça. C'est n'importe quoi !

Discrètement, le conteur a sauté quelques paragraphes et a cherché des mots auxquels il pouvait se raccrocher pour mettre un terme au scepticisme de l'enfant qui, las d'attendre, commençait à somnoler.

— Tu vas pas me croire, je m'étais trompé de page !

— Je me disais bien…

— Michelangelo dit : Que les eaux produisent en abondance des animaux vivants et que des oiseaux volent sur la Terre vers l'étendue du ciel. Splinter créa alors les tortues et tous les animaux vivants qui se meuvent, et que les eaux produisirent en abondance selon leur espèce…

— C'est long, là... quand... qu'ils arrivent... les rats... mutants?

La tête de l'enfant venait de lourdement tomber sur l'oreiller. Ses yeux s'ouvraient et se refermaient. Martin Gagnon en a profité pour porter l'estocade finale.

— Splinter créa les Tortues Ninja à son image, il créa Donatello, Raphael, Michelangelo et... Leonardo.

Un instant, le lecteur n'a plus bougé, respirant doucement. Quand seul le souffle apaisé de l'enfant s'est fait entendre dans la chambre, il a délicatement refermé le livre dont il a admiré la couverture, comme s'il le remerciait de l'avoir sauvé. Il s'est tourné vers le petit Martin qui dormait maintenant à poings fermés. Il l'a contemplé sans pouvoir détacher ses yeux de la beauté qui se dégageait du tableau. Il aurait pu le regarder jusqu'au petit matin, mais il lui fallait reprendre sa réflexion. Sur la pointe des pieds, il est sorti de la chambre. Il s'est dirigé vers le divan, Louise y était assise. Une nouvelle fois, elle l'a regardé avec une infinie tendresse. Comme toujours, il n'a pas su quoi penser, ni comment réagir.

— J'en reviens pas que vous lui ayez lu la Bible!

— J'avais que ça sous la main, mais j'ai improvisé. Vous inquiétez pas, il n'y a vu que du feu.

— Je ne me suis pas inquiétée. Je vous écoutais, mais je n'ai pas voulu vous déranger…

Pour Martin Gagnon, c'était clair. Si elle n'avait pas voulu le déranger, c'était qu'elle voulait laisser l'enfant avec son père. Le moment était venu d'abattre son jeu. Mais comme souvent, dans ces moments rares, intenses et d'une certaine durée, les mots déraillent de la pensée. La peur, peut-être.

— Et vous, vos Japonais?

— Presque fini, mais il en reste encore.

— Je vous aurais bien aidée, mais je veux pas le laisser seul. On sait jamais… hein?

C'était ça. En fait, il avait peur. Pas peur de dire la vérité, mais peur de la réaction de la femme. Si elle ne lui avait rien dit, il y avait peut-être une raison. Mais il ne la connaissait pas. Pourtant, il fallait savoir. Elle s'est approchée, si douce.

— Vous savez y faire avec les enfants…

Et là, c'était venu tout seul. Martin Gagnon n'a pas pensé à ce qu'il devait dire, il a juste dit ce qu'il pensait.

— Non, je ne sais pas y faire avec les enfants, mais avec lui, oui…

Tout y était. La phrase était parfaite, le ton suffisamment sibyllin pour révéler le sous-entendu. Louise a noté le changement dans l'attitude de l'homme qui venait d'aller poser la Bible sur la table basse.

— Pourquoi me regardez-vous comme ça, Martin ?

Il a laissé au silence le soin de rendre le moment plus lourd encore. Il s'est fendu d'un mystérieux sourire en plaçant lentement ses bras tendus devant la femme, stupéfaite.

— Qu'est-ce qui vous prend ?

Martin Gagnon n'a pas répondu. Son visage s'est départi de son sourire. Louise a reculé de quelques pas, maintenant inquiète de la transformation de l'homme, auparavant si doux.

— C'est bon, j'ai vu, vous avez deux mains. À quoi vous jouez ?

— Je ne joue pas, Louise, c'est vous qui jouez avec moi… Dites-moi… Si c'est pas moi le père, c'est qui ?

PAPA !

Des hurlements provenant du couloir ont fait sursauter Martin Gagnon. Son sourcil blessé portait un pansement brun, quant à l'autre, il n'y avait plus de plumes, juste quelques minuscules brins blancs parsemés dans les poils. Accroupi dans l'entrée de la suite, il refermait le dernier de ses trois gros sacs. Charles-David les a déposés sur le velours de son chariot doré en prenant soin de ne pas abîmer les cadeaux de l'enfant, empilés sur le côté. Derrière la porte, de nouveau des cris ont résonné en même temps que les pas d'une folle poursuite.

— *Iie ! Iie ! Iie !*

— *Haï ! Haï ! Haï !*

Depuis une heure, dans l'hôtel Saint-Régis, avait commencé le ballet des vierges japonaises qui, après un vol interminable au-dessus du Pacifique, rechignaient à s'envoyer une nouvelle fois en l'air.

— *Iie ! Iie ! Iie !*

— *Haï! Haï! Haï!*

Le groom a poussé le chariot jusqu'à la porte et s'est retourné vers le salon dans lequel Martin Gagnon venait de rejoindre Louise. La jeune femme avait abandonné le chignon pour révéler de longs cheveux châtains tombant sur ses épaules. Sa tenue de femme de chambre, elle l'avait troquée pour un jeans et un pull-over ample, rayé de plein de couleurs chatoyantes.

— Bon, on est prêts, tu crois que je peux aller le chercher?

— Je vais venir avec toi, Martin, on ne sait jamais comment il peut réagir si quelqu'un d'autre le réveille. Je vais juste être là au cas où. C'est comme ça qu'il s'habituera.

Quelques instants plus tard, sans qu'on ait entendu la moindre protestation ou le moindre pleur, l'enfant est réapparu dans les bras de l'homme, la mère les suivant avec le sac à dos et la casquette du Canadien.

— Charles-David, pose nos manteaux sur mes sacs, on les enfilera en bas.

Le groom s'est exécuté puis il a ouvert la porte en cherchant à reculer pour s'effacer et dégager le passage.

— C'est bon, passe devant, là. Ça va faire, les chichis entre nous.

Le cortège s'est ébranlé dans le couloir. Charles-David marchait devant, l'homme et l'enfant derrière. Louise, pensive, fermait la marche. Le groom a pressé le bouton d'appel de l'ascenseur puis il s'est tourné vers la jeune femme.

— Alors, tu nous quittes?

— Oui, c'était trop dur de travailler la nuit.

— Mais t'inquiète, Charles-David, on repassera te voir avec Louise et le petit.

Le jeune homme a souri à Martin Gagnon puis il est revenu à l'ascenseur dont la cabine ne venait pas, toujours bloquée au huitième étage. Soudain, de la porte de secours, une Japonaise en chemise de nuit, les yeux déformés par la peur, a surgi, suivie d'un Japonais en kimono, les yeux déformés par le désir. Les deux ont disparu au bout du couloir.

— C'était peut-être pas la peine de perdre tant de temps à faire les lits, ils s'en servent même pas.

Un peu lointaine, mais tout de même amusée, Louise a souri à Martin Gagnon. Se rendant compte qu'il n'y avait aucune issue au fond du couloir, le couple est repassé en courant pour s'en retourner dans l'escalier de secours.

— *Iie! Iie! Iie!*

— *Haï! Haï! Haï!*

— Mais qu'est-ce qu'ils disent?

— Elle, elle dit non, lui, il dit oui.

— Tu parles japonais, toi ?

—J'ai appris quelques mots à l'École de l'hôtellerie.

— C'est bien, c'est important de bien travailler à l'école. Et le p'tit, il travaille bien, lui ?

— Il a commencé le primaire cette année. C'est un peu tôt pour dire.

—Je vais surveiller ça, moi. Je vais peut-être même l'aider à faire ses devoirs.

— C'est qu'il n'en a pas encore beaucoup…

Louise l'a observé poser délicatement sa main sur la tête de son fils dormant toujours dans ses bras. Le « ding » a retenti, les portes de l'ascenseur se sont ouvertes.

Quand la cabine a amorcé sa descente, Martin Gagnon a remarqué le numéro neuf s'éteindre. Dans un flash, il a revu cette même cage dorée, sept ans plus tôt, le faire dégringoler en enfer, avec, aux portes, l'ancien président du Canadien. Mais aujourd'hui, l'enfant dans les bras, il avait l'impression que sa vie, la vraie, débutait enfin. Un nouveau « ding » a retenti et l'ascenseur a ralenti pour s'arrêter au huitième étage. Les portes ont coulissé pour laisser apparaitre un Japonais d'à peine cinq pieds de haut, pas si gros que cela, vêtu d'un seul mawashi. Aux abois, dans son déguisement de sumo, il cherchait visiblement quelqu'une.

—*Azouka! Azouka? Azou... ka... Azou! Azou?*

L'esseulé est entré dans la cabine pour l'y chercher, mais il ne l'a pas trouvée. Et le demi-sumo a poussé un cri de désespoir pour retrouver sa moitié.

—*Azoukaaaaaaa!*

—La ferme, Tarzan, tu vas le réveiller!

Trop tard. Dans les bras de Martin Gagnon, l'enfant venait d'ouvrir les yeux. Les portes de l'ascenseur, en se refermant, ont laissé derrière elles le Japonais ululant après sa vierge perdue. Louise a souri à son fils. Sommeillant encore, il a observé autour de lui pour prendre conscience d'où il était. De ses bras, il s'est poussé de l'homme qui le portait afin de pouvoir le regarder.

—Qu'est-ce que tu fais là?

Le grand Martin s'est fendu de son plus beau sourire.

—Ben, je te portais parce que tu dormais et je ne voulais pas te réveiller.

Cela n'a pas attendri le petit Martin.

—Je dors plus, je suis grand et je peux marcher tout seul!

Martin Gagnon a toisé Louise d'un air entendu et il a détaché l'enfant de lui pour le déposer délicatement sur le sol.

— Fais attention en le reposant qu'il ne bascule pas sur le côté si jamais il a une jambe plus longue que l'autre !

Louise, amusée de son propos, a cherché à partager son sourire avec l'homme qui venait de relâcher l'enfant qui tenait parfaitement sur ses deux jambes. Martin Gagnon s'est contenté de fixer le ballet des chiffres égrenant les étages dévalés. Il boudait.

— Qu'est-ce qu'elles ont mes jambes, maman ?

— Rien, c'est une plaisanterie entre nous.

Louise s'en est un peu voulue d'avoir osé ce bon mot. Elle a regardé l'homme, le visage fermé, et n'a pas douté qu'il se repassait une scène, surgie de son passé. Peut-être pas la préférée de sa soirée.

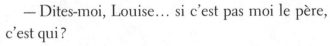

— Dites-moi, Louise… si c'est pas moi le père, c'est qui ?

— Ben, son père !

Les bras tendus à quelques centimètres du visage de la femme, Martin Gagnon avait ricané. Il ne la croyait pas. Apeurée par son regard étrange, elle avait reculé, encore. Il avait avancé.

— J'ai la preuve scientifique que c'est mon fils !

— Vous dites n'importe quoi !

— Ah, oui, je dis n'importe quoi ?

Sans baisser les bras, il avait fait l'énoncé de sa théorie scientifique, de son origine jusqu'aux bienfaits sur le hockeyeur, en y ajoutant aux mots, les gestes.

— Le bras le plus court tient le haut du bâton alors que le plus long est placé au milieu. Ça permet une bien meilleure rotation que ceux qui ont les deux bras de la même longueur.

Dans son exposé, il avait évoqué la découverte faite par son père sur la patinoire du jardin. Il avait clos son cours magistral sur la transmissibilité de cette rare particularité physique dont seule la paternité pouvait être l'origine, bagage génétique qui le reliait incontestablement au petit Martin.

— C'est évident!

La démonstration n'avait même pas obtenu un succès d'estime.

— Mais ça va pas? Mon fils n'a pas un bras plus court que l'autre de cinq centimètres!

— Si c'est pas cinq, c'est au moins trois.

— N'importe quoi…

— Puisque je vous le dis.

— Mon fils a les bras de la même longueur!

— Vous voulez qu'on vérifie?

À l'urgence, il n'y avait pas eu d'attente. Dans la chambre, comme s'ils étaient dans une salle d'examen à l'hôpital, les deux intervenants avaient pris soin de chuchoter pour ne pas troubler le sommeil du jeune patient.

— Regardez, Louise, c'est flagrant!

— Il a un bras plié et un bras droit. C'est normal qu'il en ait un plus long que l'autre!

Ce premier examen morphologique n'ayant permis d'aboutir à aucun résultat probant, Martin Gagnon était ressorti de la pièce pour aller s'emparer de l'un de ses bâtons. Quand il était revenu, Louise s'était mis en travers de son chemin, lui barrant l'accès au lit.

— Je vous préviens, pas question de le réveiller pour le faire jouer au hockey!

— Mais non, c'est pour mesurer! Dépliez-lui le bras.

— Je vous jure, vous… Si ça le réveille, je vous laisse le rendormir et croyez-moi, vous allez en avoir besoin, de la Bible. Pas pour la lire, mais pour prier!

— Dépliez-lui le bras, j'ai dit, et arrêtez de parler sinon vous allez le réveiller.

Louise, avec soin, avait réussi à tendre le long du corps les deux bras de son fils. Martin Gagnon s'était penché au-dessus de lui pour placer le haut du bâton au ras de l'épaule, avant de le poser le long du bras. Il avait gravé avec l'ongle la longueur du petit membre avant de répéter l'opération sur l'autre bras. Le résultat avait laissé le praticien un brin sceptique.

— Attendez, j'ai dû faire un faux mouvement.

Sous le regard de Louise, d'abord circonspecte et ensuite incrédule, l'urgentiste avait refait six fois le test avec, à chaque tentative, le même résultat.

— Bon, je vais aller chercher un autre bâton!

— Vous allez finir par le réveiller…

La mère s'était assise sur le bord du lit pour suivre les trois dernières tentatives qui avaient confirmé le résultat des six précédentes. L'enfant avait bien les deux bras de la même longueur.

— Ben, là...

Tête basse, traînant les pieds et le bâton, Martin Gagnon avait quitté la chambre. Louise, après avoir délicatement refermé la porte, s'était approchée de l'homme, avachi sur le divan, qui aurait tant voulu être le père de son fils, examen génétique à l'appui.

— Vous avez peut-être fait cela un peu vite au Forum?

Ce n'était pas un peu vite que Martin Gagnon avait effectué l'examen sur glace, c'était plutôt aveuglé par le désir de voir son rêve se réaliser.

— Et vous avez fini par voir quelque chose qui n'existait pas.

Martin Gagnon venait enfin de comprendre ce que voulait lui dire Pierre-Léon en le quittant devant l'hôtel. Louise avait longuement contemplé le tas de cadeaux au pied du sapin, la fresque des Tortues Ninja au mur, puis l'homme dont l'arcade exhibait encore quelques plumes d'oie.

— Puis vous savez, Martin, vous avez oublié une chose importante... Comment vous dire ? Les bébés ne naissent pas à sept ans tout seuls dans les chambres d'hôtel... Il faut d'abord les avoir... euh... conçus... en général, à deux.

Martin Gagnon l'avait dévisagée un moment, comme si, pour une dernière fois, il cherchait à se souvenir s'il ne l'avait pas connue, ne serait-ce que le temps d'une furtive étreinte.

— J'étais saoul ce soir-là, je me souviens plus de rien.

La femme avait fait mine de ne pas avoir compris, gênée.

— Excusez-moi, Louise, j'aurais pas dû dire ça comme ça.

Martin Gagnon avait alors tout raconté, pour enfin en finir. De cette nuit d'ivresse à son renvoi comme un chien, en passant par sa rencontre avec Michel Mercier et les confidences arrachées à Gaëtan, Louise avait enfin compris ce qui reliait, au-delà de la raison, cet homme à son enfant.

— Je ne vivais pas à Montréal. Aucune chance que ça ait pu être moi. Et puis, comment dire ça ? Ça n'a jamais été mon genre de "cruiser" les hockeyeurs.

— Ça, j'avais vu.

Louise avait compris qu'elle venait de recevoir un compliment. Elle s'était levée et avait rajusté sa tenue noire et son tablier blanc.

— Bon, faut que j'aille finir les chambres de ces maudits Japonais… Je peux encore vous le laisser ?

— Ben, oui ! Pourquoi il pourrait pas rester ?

Elle s'en était voulu de sa question, tant la réaction de l'homme avait été sincère et spontanée. Il l'avait raccompagnée à la porte de la suite. Avant qu'elle ne sorte, il l'avait retenue par le bras.

— Vous savez, je l'aime pareil, Martin…

❧

Quand la cabine de l'ascenseur a ralenti pour poser sa carcasse au rez-de-chaussée, Louise et Martin Gagnon se sont regardés pour échanger un sourire en voyant l'enfant coller son œil dans l'entrebâillement des battants pour tenter d'entrevoir ce qu'il y avait derrière.

— Oh là là, y a plein de monde !

Les portes ont coulissé, laissant un brouhaha venu d'Asie s'engouffrer dans la cabine. Dans le hall, autour du petit salon bordant la réception, une quinzaine de Japonais, certains en pyjama, d'autres en kimono, aucun en mawashi, mais tous munis d'un appareil photo dernier cri, hurlaient.

— *Dju-Lii! Dju-Lii! Dju-Lii! Dju-Lii!*

— Mais qu'est-ce qu'ils font, maman?

— Je suis trop petite, je ne vois pas.

Martin Gagnon n'a eu qu'à se mettre sur la pointe des pieds pour découvrir ce qui attirait les flashs des Nikon et des Canon. Sur le divan, Georges D'Amour, hagard, la tête hochant d'avant en arrière, le regard collé sur un point que lui seul voyait, ne cessait de rabâcher sa belle perdue.

— Julie... Julie... Julie... Julie...

Martin Gagnon a bien pensé voler au secours de son ami, mais un homme se tenait près de lui, tentant de le soustraire aux flashs et aux cris.

— Un peu de respect, s'il vous plaît!

— *Dju-Lii! Dju-Lii! Dju-Lii! Dju-Lii!*

Il a défié les objectifs du regard jusqu'à ce que ses yeux se posent sur Martin Gagnon dont la tête dépassait nettement celles des importuns. L'homme aux cheveux blancs soigneusement tirés en arrière, vêtu d'un chic costume noir, s'est levé pour se rendre jusqu'à lui et poser, fou de rage, son nez contre le sien alors que Louise et l'enfant allaient rejoindre Charles-David et son chariot, plus loin.

— C'est quoi cette marde que t'as foutue, Lagagne ?

— J'y suis pour rien, président.

— T'as vu D'Amour, dans quel état tu l'as mis ?

— J'y suis pour rien.

— Sa femme nous a appelés pour tout nous raconter. T'as brisé une famille et dans l'état où tu l'as mis, mardi, contre Boston, il va pleurer au premier coup de sifflet, et mes gars, ils vont se faire défoncer. Tu t'en crisses, Lagagne, t'as toujours pensé rien qu'à toi et à ta queue. T'aurais pas pu faire tes cochonneries tout seul dans ta chambre au lieu de le tenter ? Je pensais que t'avais changé en te faisant revenir, mais des gars comme toi, ça change jamais. T'es rien qu'un gros tas de marde et tu veux savoir ce que je fais des gros tas de marde ?

N'eût été la présence de l'enfant qui peut-être le regardait, Martin Gagnon aurait fait goûter au président du Canadien de Montréal les effets apaisants de l'attaque fulgurante et définitive, si possible par surprise. Mais en y repensant, ce n'était pas la présence de l'enfant qui le retenait de saisir par le collet l'homme qui lui postillonnait à la face. C'était le Martin d'avant qui ne savait répondre que par l'agression. Alors, il n'a même pas eu à serrer les dents pour écouter ce qu'il avait toujours redouté d'entendre, mais qui, à cet instant, allait le délivrer.

— Peine de venir lundi à la pratique. C'est fini pour toi, le Canadien ! Pis c'est fini aussi le hockey ! Avec les recommandations que je vais donner à toutes les équipes, y en a pas une qui va vouloir te prendre. Tu vas vite aller payer ta note, moi je paye rien, et tu crisses ton camp !

Joignant le geste à la parole, il pointé la sortie. Un flash a crépité. Le nouveau chômeur, pas si triste de perdre son emploi, a fait demi-tour sans saluer le président déjà rendu au chevet de son homme fort, pour le moment si faible.

— Julie… Julie… Julie… Julie…

À la réception, le directeur sortait du bureau d'Alexandre, tenant dans sa main la poubelle contenant trois bouteilles de vin vides.

— Je ne comprends pas, monsieur le directeur. Laissez-moi juste une petite heure que je puisse enquêter et vous trouver le coupable pour vous le dénoncer, en toute discrétion, comme je l'ai toujours fait pour vous ! On est une équipe, nous deux, hein ?

— Souffle !

— Pfff…

— Ça, c'est pas souffler, c'est renifler.

— J'avoue tout. Mais la nuit a été terrible. La femme de chambre n'en a fait qu'à sa tête, elle n'écoutait rien, d'ailleurs elle s'en est rendu compte et a préféré démissionner que de subir vos foudres et la honte. Charles-David est bien gentil, mais c'est un jeune… On peut jamais compter sur les jeunes, vous le savez bien. Même s'il est gentil, faut toujours être derrière lui. J'ai vraiment tout fait seul pour sauver la réputation de l'établissement, mais ce Gagnon, c'est un coriace. Je vous en prie, punissez-moi, fouettez-moi, mais gardez-moi!

— C'est bon, c'est bon, mais dégage de la réception, j'ai l'impression de parler à un verre de bordeaux qu'a passé dix jours au soleil!

— Je savais que vous aviez un cœur, donnez-moi votre main que je la baise. Smack! Smack!

Le directeur a enfermé Alexandre dans le bureau puis a contemplé les Japonais mitraillant le pauvre gnou, trop lourd pour le président du Canadien, incapable de le soulever pour le sortir de ce safari-photo.

— Bon, à nous deux, monsieur Gagnon… Je présume que le président vous a passé le message: il ne veut rien savoir de payer votre séjour parmi nous.

La carte American Express posée sur le comptoir n'y est pas restée longtemps. Abattu, il a contemplé son hall qui n'était plus qu'un immense cirque.

— Entre nous, comment vous avez pu faire ça? Je vous laisse seul dans mon hôtel et je reviens, pis c'est le barda. Vous avez fait venir des putes, vous repartez avec ma femme de ménage, la presse est là, je retrouve mon concierge paqueté, votre chambre est saccagée, le président du Canadien de Montréal m'annonce que plus jamais il ne mettra un joueur ici… Vous savez combien ça va me coûter, ça, au niveau de ma réputation?

Le client n'a pas répondu, occupé à fixer l'imprimante qui n'en finissait plus d'immortaliser à l'encre noire le prix de ses grands adieux.

— Vous vous en crissez, hein?

Le directeur, l'œil hagard, semblait manifester les premiers symptômes de la dépression, tant sa voix était maintenant monocorde, vide de la vie.

— Tiens, vous avez plus votre bague?

— Non.

— Bon, ça y est, c'est imprimé… Une suite, un téléphone brisé, un fauteuil taché de sang, des rideaux découpés, un oreiller éventré, un salon à repeindre au complet, des draps de satin jaune déchiquetés et quatre cents piastres de soins du corps… Vous nous aviez laissé cinq mille d'acompte, et pourtant j'avais vu large, mais il en manque mille six cent cinquante-neuf et vingt sous. Je les prends sur la carte?

Martin Gagnon a opiné. Tel un zombie, le directeur a glissé la carte dans le lecteur, puis il a levé son regard vide sur son client.

— Vous allez faire quoi, vous, maintenant dans la vie?

— Élever un enfant.

Le directeur s'est contenté de sourire bêtement. Une larme a coulé de son œil. Pas de doute, la dépression était bien là.

—❦—

Une heure plus tôt, quand Louise était sortie de la salle de bain de la suite où elle venait de troquer son uniforme de femme de chambre pour un pull et un jeans tout en détachant ses cheveux, elle avait dévisagé Martin Gagnon qui guettait sa réponse.

— Êtes-vous certain de ce que vous venez de me dire?

— Plus que certain, même.

— Je crois que vous ne vous rendez pas compte de ce que vous venez de me proposer. C'est toute une responsabilité, vous savez?

— Faut bien que quelqu'un la prenne! Vous pensez que c'est une vie pour un enfant d'avoir une mère qui travaille de nuit et pas de… euh… et… personne pour l'aider?

— Je ne suis pas la seule, vous savez… Et Martin est un enfant très heureux.

Martin Gagnon s'était contenté de fixer la jeune femme aux traits tirés. Elle s'était détournée, seule façon de concéder que ce qu'elle venait de dire, elle n'y croyait pas non plus.

— Je sais que la présence d'un homme lui manque et qu'avec le temps, ça sera de plus en plus difficile pour lui. Mais c'est de son père dont il a besoin. Ça ne s'improvise pas, on ne le remplace pas comme ça, d'un coup de baguette magique.

— Oui, mais s'il ne voit jamais son père, c'est comme s'il en avait pas. Je sais que vous faites tout pour lui, mais pour un enfant, quand c'est possible, c'est toujours mieux d'avoir deux personnes qui s'en occupent. Ça doit pas toujours être facile toute seule, hein?

— Non, c'est pas toujours facile.

— Puis avec moi, je vous le dis, il passera pas son temps à m'attendre par la fenêtre en pleurant, parce que je serai là.

— Je sais.

— J'arriverai même en avance. Un bon quinze minutes. Trente même, si vous préférez.

Louise s'était laissée aller à un tout petit sourire, mais elle l'avait très vite perdu.

— Souvent, je me demande s'il ne passe pas tant de temps à attendre son père parce que moi aussi, je l'attends encore.

Persuadé que le silence aurait le dernier mot et le priverait du désir insensé, mais si profond, de prendre la destinée de l'enfant en main, il avait insisté.

— Je vous le redis, vous ne m'attendrez jamais, moi.

La femme ne pouvait le nier, cette volonté d'être à tout prix le père de son enfant l'avait ébranlée, elle qui devait survivre avec un procréateur faisant tout pour éviter de l'être.

— Alors, vous êtes d'accord ?

— Allez-y doucement, Martin. Laissez-moi respirer un peu. Ça fait beaucoup en une nuit pour moi, là. Il faut que je réfléchisse.

Martin Gagnon avait marché jusqu'à la fenêtre tout en s'assurant de faire le moins de bruit possible. Il s'était tenu debout, sans rien dire, sans même la regarder pour ne point la déranger. Dehors, le jour s'était levé, mais en ce matin de Noël, les rues étaient encore vides et la ville tarderait à s'éveiller.

— Vous voyez ça comment, vous ?

Martin Gagnon n'avait pas couru, mais bondi jusqu'à Louise.

— Ben, je pensais acheter une maison à Laval, par exemple. Avec un jardin où je ferai une patinoire l'hiver pour qu'il patine avec moi et une piscine pour l'été. Comme ça, je pourrai même lui apprendre à nager.

— Il sait déjà nager.

— Ben, il apprendra à plonger.

— Et moi?

— Vous savez pas plonger?

— Mais non, Martin, je parlais de moi, de Louise, de la femme. Je fais quoi, moi, dans cette maison de Laval?

— Euh… ben vous venez avec nous.

— C'est gentil, ça… Ça me touche beaucoup.

Lorsque l'on rencontre une femme déjà mère, il faut d'abord aimer la femme pour découvrir et peut-être ensuite apprécier l'enfant. Dans certains cas, peut-être s'attache-t-on aux deux en même temps? Mais, là, devant elle, et il ne le lui cachait pas, Louise observait un phénomène qui aimait déjà l'enfant, et qui l'aimerait, elle, peut-être un jour. Mais à bien y penser, pour le moment, elle ne cherchait pas l'amour, elle attendait qu'il revienne. Et si elle aussi appréciait tant Martin Gagnon, c'était surtout parce qu'il aimait son fils.

— On va peut-être attendre un peu pour la maison à Laval.

— Vous n'aimez pas Laval ?

— Non, Martin, j'ai rien contre Laval. C'est juste que je ne pense pas que ça soit judicieux d'emménager ensemble même si je sais que votre présence aiderait beaucoup mon fils. On peut pas décider en cinq minutes de choses qui prennent souvent des années à se décider, à se bâtir. Vous vous rendez compte, vivre avec quelqu'un du matin au soir, c'est pas rien ! Surtout si on ne le connaît que depuis quelques heures…

Martin Gagnon avait acquiescé. Oui, il était peut-être allé un peu vite en besogne. Il ne pouvait le nier. Il avait donc immédiatement fait une offre à la baisse en la coupant équitablement en deux.

— Et si on faisait une garde partagée ?

Même si cette proposition entérine en général la fin d'une relation, avec enfant, plutôt que son éventuel début, Louise avait bien voulu l'envisager. Son quotidien, elle le portait sur le dos à ne respirer que pour son fils. À la charge affective et l'absence de père, se mêlaient la nécessité de travailler pour survivre et suivre des études pour envisager un avenir meilleur. Ses journées n'étaient pas remplies, elles débordaient. Alors, oui, elle avait parfois rêvé de consacrer une partie de son temps à elle-même.

— Pis, j'irai le chercher à l'école. Vous me conseillez quoi comme voiture pour un enfant?

— Je ne sais pas, je n'ai pas de permis.

— Y a un gars dans l'équipe à Los Angeles, je crois qu'il en a quatre, je vais lui demander ce qu'il faut. Pis tant qu'à être à l'école, j'irai toucher deux mots aux deuxième année qui l'embêtent. Il vous a raconté que y en a qui disent qu'il a fait pipi dans ses patins parce qu'il s'appelle Martin?

— Vaguement…

— Vous pouvez pas comprendre, c'est une affaire de gars. Moi aussi je m'appelle Martin, donc s'ils l'insultent, c'est comme s'ils m'insultaient moi, hein?

Partager, c'est ne garder qu'une moitié. Mais ce que l'on croyait trop lourd à porter peut cependant nous manquer. Accepter cette proposition de garde partagée sonnait pour Louise comme abandonner son enfant, pas à moitié, mais complètement, au nom de son propre confort dont elle se culpabiliserait vite.

— Écoutez, Martin, je pense que tout va beaucoup trop vite. Que diriez-vous que l'on commence tout doucement, qu'il s'habitue à vous, qu'éventuellement vous le preniez quelques heures de temps en temps pour aller au cinéma, au parc, ou l'emmener manger ? Puis dans quelques mois on verrait ce que tout ça donne ?

— D'accord ! Mais si vous êtes mal prise ou qu'il est malade, n'hésitez pas à m'appeler. Juste un coup de fil et je viendrai m'en occuper. Si c'est un soir de match, vous me prévenez, je fais semblant d'être blessé et bingo, je suis là. Si je suis sur la route, faut juste me téléphoner un peu avant parce qu'avec les avions, ça peut être compliqué, pis je voudrais pas qu'il m'attende trop longtemps.

Louise avait simplement souri, en opinant, sans pouvoir masquer une admiration pour cet homme qui ne lâchait jamais, jamais.

— Louise, y a aussi une autre chose que je veux vous demander, mais promettez-moi de pas dire non, cette fois.

— Je préfère quand même vous entendre d'abord.

— Moi, je pense que c'est pas bien de travailler la nuit pour étudier le jour. Je voudrais vous aider pour que vous puissiez juste étudier et vous occuper de lui. Alors, voilà…

Martin Gagnon avait inspiré profondément et fixé Louise avec intensité, la suppliant à l'avance de ne pas refuser.

— Je veux vous payer une pension alimentaire !

— Martin…

— Dites oui, je vous en supplie, parce que vous savez, comme j'ai décidé d'arrêter de boire pis de sortir, il va m'en rester en masse de l'argent, puis ça va rien changer pour moi.

— Dit comme ça, évidemment, ça peut pas se refuser.

Martin Gagnon était peut-être un des premiers hommes au monde à devoir contenir ses larmes pour ne pas pleurer de joie à la simple idée d'avoir une nouvelle pension alimentaire à payer.

— Louise, je peux vous prendre dans mes bras?

— Euh, oui, bien sûr.

Aux anges, il, s'était collé à la jeune femme. D'abord gênée, elle avait fini par apprécier cette étreinte, sans arrière-pensée, jusqu'à se surprendre d'apprécier redécouvrir la sensation d'un corps contre le sien. Il n'y avait pas d'amour, pas de passion, pas de soupirs, juste la quiétude d'avoir peut-être trouvé ce brin d'espoir qui lui manquait pour avoir englué son avenir dans le passé. Contre elle, se collait l'hypothèse de quelque chose de mieux, venu de nulle part. Mais elle ne lui dirait rien, et se contenterait juste d'observer et cueillir cette chance, en lui laissant le temps d'accomplir son œuvre, si jamais c'était bien elle qui s'était présentée.

— Que diriez-vous de nous tutoyer, Martin?

— J'y avais pas pensé, Louise, mais c'est une très bonne idée, ça !

Martin Gagnon a serré la femme dans ses bras, encore plus fort. Les yeux grands ouverts, un immense sourire éclairant son visage, il voulait de la lumière, car maintenant, ce que la vie lui proposait était clair. Il allait, dès aujourd'hui, dans cette chambre, signer le premier chèque de cette miraculeuse pension alimentaire. Pour la fêter, il ajouterait même un petit bonus pour Noël. Plus tard, il se battrait pour la garde partagée et pour finir, une maison à Laval !

— Je sais pas ce que t'en penses, mais faudrait peut-être plier bagage ?

— Tu as raison, Martin, on n'a plus rien à faire là.

— Je vais vous raccompagner chez vous, juste pour qu'il commence à s'habituer à moi. Hein ?

— Oui, bien entendu, Martin… Mais avant de quitter, tu me permets d'enlever les plumes de ton sourcil, histoire de pas faire peur aux voisins ?

❦

Dans le hall de l'hôtel, une Japonaise en robe de chambre est sortie de l'ascenseur, en furie, pour fendre la grappe de paparazzi nippons afin d'en extraire par le col du kimono son jeune époux.

— *Hiro!*

— *Hito?*

Impériale, elle l'a traîné jusqu'à l'ascenseur pour le monter au huitième, direction le lit nuptial. Georges D'Amour n'a rien vu, toujours à pleurer sa belle perdue dans les bras du président.

— Julie... Julie... Julie... Julie...

— Labarre, pense à autre chose. Tiens, on joue contre Boston, mardi. Tu pourras te défouler! Et je double la prime pour chaque nez cassé!

Martin Gagnon a quitté la réception sans saluer le directeur qui s'est caché des flashs qui l'aveuglaient pour immortaliser Georges D'Amour, maintenant à genoux, pour embrasser le marbre du sol sur lequel les chaussures de Julie s'étaient posées une dernière fois.

— *Dju-Lii! Dju-Lii! Dju-Lii! Dju-Lii!*

Alors que, derrière lui, le crépitement des flashs redoublait, Martin Gagnon a rejoint Louise et l'enfant, toujours juché sur le chariot de Charles-David, près de la grande porte qui donnait dans la rue.

— Le taxi est là?

— Oui.

Dehors, le soleil avait décidé d'éclairer ce jour de Noël de sa blanche lumière matinale. La neige, immaculée de ne s'être point fait souiller par les échappements des autos, luisait sous les rayons, jusqu'à l'éblouissement. À la vue du couple et de l'enfant, Pierre-Léon est sorti de son auto pour ouvrir le coffre afin que Charles-David y charge les nombreux bagages. Martin Gagnon a tenu la portière arrière pour laisser entrer Louise, suivie de l'enfant. Il s'est ensuite retourné, radieux, vers le vieil Haïtien.

— En fait, t'avais raison, t'es bien le berger qui ramène les brebis égarées.

— Tant que le pêcheur n'a pas regagné la terre, il n'est pas à l'abri de la tempête.

Martin Gagnon a souri à Pierre-Léon. Non pour cette réponse dont il n'avait pas tout compris, mais parce qu'il les aimait bien, maintenant, les grandes phrases de son ami haïtien. Puis surtout, en cet instant, il était heureux, certainement comme il ne l'avait jamais été. Charles-David a fermé le coffre pour retourner timidement à son chariot.

— Ben, tu viens pas me dire au revoir?

Le jeune groom a rougi en tendant la main.

— Ben là, c'est pas de même que ça se dit au revoir, les grands chums! Allez, viens!

Regardant à droite et à gauche, de peur d'être pris en faute, le groom a marché vers les bras grands ouverts de son client.

— Ça m'a vraiment fait plaisir de te connaître.

— Moi aussi, Lagagne.

Martin Gagnon s'est décollé de Charles-David, tout en gardant chacune des mains sur ses épaules.

— Tu sais, le bâton que j'ai signé pour toi?

— Oui.

— Ben, je te promets que j'en signerai plus jamais. Comme ça, je me souviendrai toute ma vie que le dernier, il a été pour toi.

— C'est trop.

— T'es un bon petit gars. Alors, écoute-moi bien. Arrête de rien vouloir, sinon, il va finir par jamais rien t'arriver. Tu comprends ce que je te dis, Charles-David?

— Oui, Lagagne.

— Sois toi-même.

— Oui, Lagagne.

L'homme en manteau de cachemire a ramené le groom en uniforme contre lui. Et à son oreille, il a chuchoté.

— T'es aux hommes, hein?

— Je sais pas.

— Sois toi-même, Charles-David, toujours toi-même.

Martin Gagnon a gardé le jeune groom dans ses bras, puis, il s'est éloigné.

— Pis on passera te voir avec le petit. Promis.

— Quand?

L'impatience du jeune homme a fait sourire celui qui marchait vers le taxi.

— Attends, faut que je m'organise. Je peux pas te raconter, là, mais faut que j'y aille lentement avec le petit.

— D'accord, j'attendrai.

Charles-David, cramoisi d'émotion, est retourné à son chariot. Il a fait un dernier signe de la main à Martin Gagnon qui le lui a rendu avant d'ouvrir la portière arrière de la grosse Chevrolet.

— Vous me faites un peu de place ?

— Non, va devant !

— Tu veux pas être entre moi et ta maman ?

— Je vais être trop serré et je verrai rien par la fenêtre.

Martin Gagnon, un peu déçu, a pris cet air entendu des parents qui, pour ne pas savoir résister aux desiderata de leur progéniture, se persuadent qu'elle a un fort caractère. Il a fait le tour du taxi et s'est installé sur le siège passager.

— On va où ?

— Droit devant !

La grosse auto a démarré lentement, sous le soleil. Loin devant, le feu est passé au jaune. Pierre-Léon a immédiatement pesé sur les freins.

— Je sais que t'aimes être prudent avec les enfants, mais fais-moi pas croire qu'on irait plus vite à pied.

— Arrêtez de dire ça, vous me rappelez votre ami D'Amour !

Martin Gagnon a éclaté d'un rire bruyant, certainement exacerbé par la joie qui l'habitait. L'auto a roulé, presque au pas, jusqu'au feu rouge. Soudain, une ombre a recouvert la vitre arrière, du côté où était assis l'enfant. On a cogné contre la vitre. Martin Gagnon s'est retourné pour voir qui frappait. Il a tout de suite compris. Le siège s'est dérobé sous lui. Il a juste eu le temps de voir le visage de Louise passer de la stupeur à l'émerveillement et celui de l'enfant se déformer sous le choc et l'ivresse de la surprise.

— Papa !

Pierre-Léon n'a pas eu à attendre qu'on le lui demande pour immobiliser son taxi. L'homme qui tenait dans sa main un petit paquet enveloppé dans du papier cadeau a lui-même ouvert la portière arrière.

— Joyeux Noël, fils !

L'enfant, sans se retourner, s'est enfui du taxi pour sauter dans les bras de l'homme qui l'a levé au ciel. Louise a suivi son fils. Avant de sortir de l'habitacle, elle s'est arrêtée pour se retourner vers le passager avant.

— Je suis désolée. Vraiment désolée…

Martin Gagnon s'est détourné pour ne pas voir. Mais parce que la femme avait oublié de refermer la portière en sortant, il n'a cessé d'entendre l'enfant crier en boucle :

— Papa !

ÉPILOGUE

*Les enfants commencent par aimer
leurs parents ; devenus grands ils les jugent ;
quelquefois ils leur pardonnent.*

Oscar WILDE

Cher Martin,

Tout est allé très vite, je suis désolée de la manière dont nous t'avons abandonné dans le taxi. Mais tu peux le comprendre, ce fut pour nous une surprise et, excuse-moi de te le dire si franchement, un immense bonheur.

J'imagine la déception et la peine qui t'habitent, mais si la vie doit toujours offrir une autre chance, pour Martin, mais aussi pour moi, je vais la jouer. Depuis deux jours que son père est revenu vers lui, mon fils est métamorphosé. Il l'a tellement attendu.

J'ai de la peine à te le dire, mais il vaut mieux ne pas nous revoir, ni que tu revoies Martin. Pendant si longtemps, il n'a pas eu de père, il ne comprendra pas qu'il puisse en avoir maintenant deux. Ça le mêlerait plus que ça ne l'aiderait.

Cette nuit fut une suite de curieux hasards et tout est allé beaucoup trop vite pour considérer les choses coulées dans le béton. Nous attendions tous les deux quelque chose qui a fini par nous aveugler mais ne pouvait nous arriver.

Je te remercie pour tout ce que tu as fait. Martin a eu le plus beau Noël de sa vie. J'espère qu'il en aura d'autres dans des circonstances plus normales.

Je t'embrasse,

Louise

PS : Ci-joint ton chèque. Merci encore pour ta générosité. Je ne l'oublierai jamais.

QUE SA VIE SOIT BELLE AINSI

Martin Gagnon a déchiré le chèque en petits morceaux. Il a ouvert la fenêtre pour les jeter au vent. Il l'a vite refermée pour se protéger de l'air glacé qui s'engouffrait à l'intérieur de la voiture qui roulait à bonne allure et il a admiré ce paysage de campagne enneigé. Il a replié la lettre pour la glisser dans l'enveloppe qui ne portait pas l'adresse de l'expéditrice. Mais Martin Gagnon ne chercherait pas à la retrouver. Non qu'il n'aurait rien eu à dire à Louise ou à l'enfant, mais pour les laisser en paix et ne pas risquer de les troubler encore plus. La seule chose qu'il aurait souhaité dire à la jeune femme, pour l'apaiser et faire taire à tout jamais d'éventuels remords, c'était qu'elle ne devait pas l'imaginer déçu ou malheureux. Il n'en voulait ni à elle, ni à l'enfant, ni au père revenu. Elle avait raison. Tout était allé beaucoup trop vite, cette nuit-là. Il n'avait jamais laissé à la vie le soin d'écrire son avenir, cherchant désespérément à le forcer, sans s'assurer que les fondations étaient réelles. Seule l'envie, le besoin vital d'exister aux yeux de quelqu'un qu'il pensait aimer depuis toujours avait créé l'illusion de toucher le bonheur. Il l'avait compris en entendant l'enfant hurler « Papa! » avec tant de ferveur. Son cri provenait d'un sentiment inné qu'on ne peut inventer, ni bâtir, ni, surtout, détruire, parce que, justement, sa force est d'être indestructible. Il garderait une grande affection pour Louise et son enfant. Quelque chose d'unique s'était passé et si jamais ils avaient besoin de lui, il serait toujours là.

Le paysage immaculé était beau, pur, comme Martin Gagnon se sentait à l'instant, serein, lavé de son mal-être passé. Purifié, même. Pour rien au monde, il ne retournerait quarante-huit heures en arrière alors qu'il entrait au Saint-Régis. Cette rencontre miraculeuse lui avait révélé qui il était vraiment et ce à quoi il aspirait, peut-être, depuis toujours. Il ne vivrait plus ce qu'il ne voulait pas, jamais il ne porterait le masque d'un autre et, surtout, plus que tout, il voulait aimer et être aimé en retour. Qu'on l'aime pour lui, Martin, et non pour ce qu'il incarnait, ou plutôt avait incarné dans sa vie d'avant, qui n'avait jamais été la sienne.

Ce matin, avant de prendre la route, il était allé acheter le journal. Puisque la veille, aucun quotidien n'était paru, la file était longue chez le dépanneur. À mesure que les clients achetaient leur exemplaire, ils découvraient la une pour s'exclamer, à peu de mots près, la même chose.

— Oh, le tabarnak, ça lui a pas pris long pour remettre ça !

Ce fut donc sans surprise, en arrivant à la caisse, qu'il s'était reconnu sur la première page. Sur l'immense photo, il apparaissait, mal rasé, l'arcade sourcilière couverte de la bande de *tape*. Devant lui, le président du Canadien de Montréal pointait du doigt ce qu'on pouvait imaginer être la porte, au loin. En grosses lettres rouges, « DEHORS GAGNON ! » barrait la une. À la double page suivante, le concierge s'épanchait sur sa nuit d'enfer, révélant des menaces de mort, de fausses accusations de vol de bouteilles de vin, l'insoutenable présence de femmes de mauvaise vie dans la chambre saccagée par des dessins informes, effets secondaires, voire tertiaires, d'un horrible *delirium tremens*.

— Ça c'est chien de parler de même des dessins que Martin avait faits pour moi !

Selon Alexandre, Martin Gagnon était l'unique responsable des déboires conjugaux de Georges D'Amour, « un gars bien », tenait-il à préciser. Pour ne pas vouloir dévoiler que l'hôtel avait laissé entrer l'enfant d'un membre du personnel toute la nuit dans ses murs, il n'était fait nulle mention de sa présence, ni de sa mère.

— Ouf!

La page suivante montrait une Japonaise répondant au nom de Hito, tout sourire, exhibant sa bague de la coupe Stanley. C'était en pleurant sa virginité perdue, alors que son mari Hiro ronflait après l'effort dans les draps de satin jaune, qu'assise sur le siège des toilettes de la chambre 819, juste en dessous de celle qu'occupait le démon de la nuit, Hito avait trouvé dans l'eau de la cuvette le précieux bijou. Elle y avait, bien entendu, vu un signe de prospérité, mais aussi de fertilité et avait couru réveiller Hito pour ne pas laisser passer ce clin d'œil, doré, du destin. En fin d'article, le *Journal* souhaitait à Hiro et Hito d'avoir beaucoup d'enfants.

~~

Martin Gagnon s'est enfoncé dans le siège pour regarder sans émotion son annulaire désormais nu. Il a posé la main sur l'épaule du conducteur.

— Ça te tente pas de t'arrêter manger quelque chose? Je commence à avoir vraiment faim, là.

Lorsque le père de l'enfant avait surgi de nulle part pour l'amener à lui, Pierre-Léon était sorti du taxi pour les aider à récupérer les jouets du coffre. En remontant dans la voiture, il s'était inquiété pour son client silencieux qui fixait la rue vide. Il avait démarré sans demander où aller.

— Pas question que je vous laisse seul le jour de Noël.

Une heure plus tard, la Chevrolet blanche reposait dans le garage d'une petite maison de Rosemont, rue Saint-Denis, alors que Martin Gagnon dormait, lui, dans la chambre d'amis.

— Quand on a acheté, ça devait être celle de notre enfant, mais comme on n'en a pas eu, c'est devenue celle de nos amis, car maintenant on les aime comme s'ils étaient nos enfants.

— Vous êtes sûrs? Je peux dormir sur le divan.

— Tu es notre ami alors tu dors dans la chambre d'amis. *Se bon dye ki konnen!*

Martin Gagnon avait tout de suite compris que Rosi-Anne, la femme de Pierre-Léon, malgré son sourire d'ange et son air si doux noyé dans ses belles rondeurs, commandait dans cette maison décorée exclusivement de toiles naïves, paysages ensoleillés de leur île natale, entourées de portraits de la Vierge Marie. Dans la chambre d'amis, un immense crucifix, sur lequel un Christ de plâtre était cloué, avait un moment empêché le nouvel ami de la famille de s'endormir. Il s'était inquiété que Jésus ne se décroche et lui tombe dessus. Quand il s'était réveillé quatre heures plus tard, toujours en vie, il avait senti des effluves inconnus. Il était allé retrouver Rosi-Anne au milieu de plats fumants, dans la cuisine. Elle l'avait éconduit pour le mener à la petite salle de bain au carrelage mauve et bleu. D'un placard, elle avait sorti une grande serviette et une débarbouillette.

— Tu te fais propre et tu t'habilles bien, y a la famille qui vient ce soir. Mais avant, on va sortir. Tu traînes pas sous la douche parce que Pierre-Léon finit de nettoyer le taxi et il doit aussi se préparer. Et après y a moi.

Deux heures plus tard, les yeux maquillés, du rouge aux lèvres, vêtue d'un tailleur rose sur un chemisier blanc boutonné au col, le tout complété d'un chapeau assorti piqué d'une fleur, Rosi-Anne avait une dernière fois rajusté les costumes de Pierre-Léon et Martin Gagnon, au garde-à-vous devant le taxi. Elle s'était installée à l'avant de la Chevrolet blanche dont la carrosserie luisait de mille reflets sous l'étonnant soleil de ce jour de Noël.

— *Se bon dye ki konnen…*

Sur le parvis de l'église haïtienne, il n'y avait que des taxis stationnés, tous plus propres et brillants les uns que les autres. De chacun d'eux sortaient des familles entières, souvent nombreuses, toutes habillées élégamment pour se retrouver dans la joie. Mais se réunir pour partager une foi intérieure n'oblige pas à délaisser ce qui se passe à l'extérieur.

— T'as vu ça, Pierre-Léon? Fredeline a un nouveau tailleur!

L'époux avait souri à la soudaine mine renfrognée de son épouse, puis il avait lancé un discret clin d'œil à Martin Gagnon avant de revenir sur celle qui se repassait une couche de rouge sur les lèvres.

— Je me disais justement ce matin que jeudi, on aurait pu aller voir chez Yveline Mode si elle a reçu sa nouvelle collection… Qu'en dis-tu, Rosi-Anne?

— On ira lundi!

Martin Gagnon avait certes été baptisé, mais il n'avait pas encore un an et ne se souvenait donc plus du rituel. Durant la messe, il s'était donc contenté d'imiter les gestes de Pierre-Léon et son épouse, croyants fervents. À l'appel d'une musique provenant d'un orgue électrique, le couple s'était levé pour se rendre jusqu'à l'autel. Martin Gagnon, seul Blanc dans l'église, les avait suivis. Mais Rosi-Anne lui avait fermement pointé du doigt sa place.

— Toi, tu restes là et tu fais comme les autres.

Alors, comme les autres, il avait frappé des mains, en esquissant même quelques petits pas de danse, à la mesure du chant de la chorale gospel qui avait interprété sur un rythme endiablé *Seigneur, fais-moi voir ta gloire*. À la fin de l'office, tout le monde dans l'église s'était donné l'accolade, Rosi-Anne et Pierre-Léon en profitant pour lancer des invitations, épaulés par leur nouveau fils spirituel.

— Viens à la maison, on a fait le *kabrit* avec *diri* et *bannan pèze*!

La musique créole, saupoudrée de rires, d'harangues au pays d'origine et de fidélité au village natal, avait battu son plein dans la petite demeure. Sans qu'il l'ait réellement demandé, Martin Gagnon avait été embauché par Rosi-Anne pour faire le service. Affublé d'un tablier aux couleurs d'Haïti, il s'était exécuté de bonne grâce, jusqu'à exiger, afin que la maîtresse de maison se repose, de laver les casseroles et les marmites.

— T'es un bon ti Blanc, toi. Pierre-Léon m'a dit que dès qu'il t'a vu, il a su.

Repus, les convives avaient dansé dans toutes les petites pièces de la maison. Martin Gagnon s'était assis à l'écart pour observer le ballet de ce couple qui avait ouvert, tout grand, sa maison à tous. Il avait été ému de les voir tant s'intéresser aux enfants qui couraient et sautaient sur tout, sans jamais intervenir. Dès qu'il le pouvait, Pierre-Léon en attrapait un pour l'asseoir sur ses genoux et le faire rire grâce à des bons mots ou des chatouilles. Rosi-Anne, elle, déambulait avec une énorme boîte de bonbons autour de laquelle s'agglutinaient les plus petits. À chaque friandise qu'elle offrait, la femme tendait la joue pour recevoir une bise de l'enfant.

Pour pallier aux manques et amoindrir les douleurs, l'être humain se panse du mieux qu'il le peut. Ainsi, il continue d'avancer.

— *Se bon dye ki konnen!*

Entre deux bisous, Rosi-Anne avait remarqué Martin Gagnon, maussade. Malgré les protestations des enfants, la femme avait immédiatement posé la boîte de bonbons sur un meuble pour l'inviter à biguiner avec elle et, surtout, à chanter.

— *C'est bon pour le moral, c'est bon pour le moral. C'est bon, bon! C'est bon, bon! C'est bon, bon! C'est bon, bon…*

Le taxi a ralenti puis viré dans le parking déneigé du Dunkin Donuts pour s'arrêter devant la grande vitrine qui donnait sur les tables, à l'intérieur. Pierre-Léon a tourné la clef et le moteur s'est tu. Il n'a pas eu à éteindre le taximètre, il n'était pas allumé. Il a ramassé les deux manteaux pliés sur la banquette arrière. Il a gardé le sien, en laine, et a tendu celui en cachemire à son passager. Devant le restaurant, Martin Gagnon s'est empressé d'ouvrir la porte pour laisser entrer Pierre-Léon le premier.

— Tu sais que c'est là que je venais après les *games*, quand j'étais petit?

Dans la salle, personne ne s'est retourné. Elle était vide de tout client. Derrière le comptoir, deux jeunes employées mâchant de la gomme lisaient le journal en tenant, chacune, une grande tasse de café filtre. Elles n'ont pas daigné lever la tête en entendant les clients entrer.

— C'est un *bad boy*, mais crisse qu'y est *cute*.

— Beurk… est-ce que t'es rendue folle? Il est vieux!

— Check comme y est sexy avec son pansement. J'trouve que les gars ça leur donne l'air *tough* quand y sont blessés.

— On dirait du *tape*, son pansement… Pis t'as vu, y a déjà des poils blancs sur l'autre sourcil?

— Moi, comme *sugar daddy*, je le prendrais *right now*!

Dans un parfait synchronisme, les deux jeunes filles ont gloussé.

— Tu sais que c'est Lucie qu'est maintenant directrice d'école à L'Ancienne-Lorette qui l'a "frenché" la première?

— Ben, ouais, tout le monde le sait, ça.

— Il paraît qu'y savait pas comment faire… Elle a dû toute lui apprendre.

Martin Gagnon, amusé, s'est raclé la gorge pour discrètement signaler sa présence.

— Je vais lui donner des cours de rattrapage, moi.

De nouveau, les deux jeunes filles ont gloussé en chœur, mais Pierre-Léon, qui savait tousser fort, a su capter leur attention. Enfin, celle de l'une des deux.

— *Shit!*

Quand elle a reconnu l'homme qui faisait la une du journal dans lequel son amie avait toujours le nez plongé, sous le choc, elle a d'abord avalé sa gomme et lâché son café. Si la gomme est allée directement dans son estomac sans même qu'elle déglutisse, le café, lui, a rebondi sur le bord du comptoir pour se vider sur la blouse de sa collègue. Celle-ci s'est enfin redressée. Elle a ouvert la bouche pour hurler, mais à la vue de Martin Gagnon, elle l'a vite refermée.

— Vous ne vous êtes pas brûlée, mademoiselle?

— Non, ça faisait une heure que je me l'étais servi… Il était rendu glacé.

— On est désolées pour ce qu'on a dit… On a juste fait que répéter… On sait rien, nous. On faisait juste jaser, là…

— Dis-moi, Martin, qu'est-ce que tu me conseilles comme beigne?

Martin Gagnon n'a pas hésité.

— Mets-nous deux beignes à l'érable et deux cafés.

— Pour ici ou pour emporter?

— Pour emporter, on va manger dans la voiture, ça sera plus discret.

— Euh, c'est qu'y a personne ici, Martin.

— On n'est pas en ville, ici, Pierre-Léon...

Le bouche à oreille est peut-être un procédé ancestral de diffusion de l'information, mais son efficacité dans les campagnes demeure toujours aussi redoutable. Trente minutes plus tard, les deux jeunes employées suaient grande eau à servir beignes et cafés à une file de clients qui semblait sans cesse s'allonger. La salle était maintenant pleine de villageois, la plupart agglutinés à la vitre donnant sur le parking. Sans gêne, ils regardaient les deux passagers de la Chevrolet blanche garée juste en face.

— Qu'est-ce qu'il fait là avec un Noir?

— C'est vrai, ça... C'est un vrai Noir.

— C'est peut-être son esclave?

— Avec tout l'argent qu'il fait, il peut bien en avoir un.

— Mais non, ça doit être son agent de Los Angeles!

— Wow… Il est venu avec son agent!

— Avec ce qui lui arrive, heureusement qu'il a un bon agent…

— Rendus où ils en sont, eux, c'est un agent pour tout. Ils ont pu rien à faire.

— Je vais appeler mon beau-frère. Il va pas en revenir. Il a jamais vu d'agent de sa vie.

Il y a eu un *break*, tout le monde en profitant pour boire une gorgée de son café avant de croquer dans son beigne.

— Oui, mais si c'est son agent, c'est qui qui conduit le taxi, alors?

— Tais-toi, toi! Ton père, il t'a jamais appris que les enfants ça se mêle pas des discussions des grands?

À l'intérieur de l'auto aux fenêtres fermées, la radio jouait de la musique des îles. Pierre-Léon avait terminé son beigne depuis longtemps. Incrédule, il contemplait en silence Martin Gagnon croquer délicatement dans le sien pour rouler le morceau longuement en bouche avant de l'avaler en plissant les yeux, pour mieux le savourer, sans que rien ni personne ne semble capable de le troubler, de le sortir de sa bulle. Il a répété plusieurs fois l'opération, à petites bouchées.

— Hey, mon chum, mon café est presque rendu froid et toi, t'as toujours pas fini ton beigne! Presse-toi, sinon tu vas être en retard…

Martin Gagnon a frémi. Cette phrase, il l'avait entendue mille fois, au même endroit. C'était il y avait bien longtemps, mais tout revenait, surtout le bon, comme si le temps semblait ne laisser filtrer que le meilleur, dans les souvenirs. Pierre-Léon a mis la clef dans le contact et il a démarré alors que son compagnon glissait soigneusement le reste de son beigne à l'érable dans le papier ciré, en prenant soin que le glaçage n'y colle pas. Lorsque le taxi a ralenti à la sortie du parking, le passager a regardé à droite puis à gauche.

— Prends par là, je connais un chemin plus court.

La veille au soir, les derniers convives partis de Rosemont, alors que Rosi-Anne rangeait la maison en chantant, Pierre-Léon avait proposé à Martin Gagnon une promenade rue Saint-Denis.

— Ça fera courir pour une dernière fois le *kabrit* et demain tu seras léger comme une gazelle.

Dès les premiers pas dans la nuit froide, le chauffeur de taxi avait proposé à Martin d'habiter chez lui le temps qu'il faudrait. Cette chambre d'amis était à lui.

— Tu y seras tranquille et tu pourras réfléchir.

Sans jamais l'interrompre, Martin Gagnon avait écouté attentivement chaque mot que prononçait Pierre-Léon. De sa vie en Haïti à cet exode qui l'avait mené ici, il avait décrit tous les sentiments éprouvés dans sa quête d'une vie meilleure et évoqué cet enfant tant attendu. Cette rage contre la vie qui ne vient pas. Cette injustice d'être né et de ne pouvoir le rendre. Cette souffrance avait duré le temps de comprendre qu'à rester immergé dans ce passé sans avenir, rien d'autre ne s'offrirait à lui que de le ruminer, pour ne jamais le digérer.

— On le traîne comme un boulet. Pis on n'avance plus. Et si un jour, le sol sur lequel tu marches est friable, il t'entraînera dans ses profondeurs, jusqu'à t'ensevelir.

Ce matin, quand Martin Gagnon était revenu du kiosque avec le journal dont il était la vedette, Pierre-Léon, qui avait fini sa nuit de travail, l'attendait devant son taxi. Il lui avait remis la lettre apportée par Charles-David à la station de taxi, devant l'hôtel.

— Oublie pas de passer le bonjour à Lagagne. C'est plate, ici, quand il est pas là. Et dis-lui que maintenant je sais. Il comprendra.

Pierre-Léon était allé prévenir Rosi-Anne qu'ils n'iraient pas aujourd'hui chez Yveline Mode acheter le tailleur promis. Il avait plus important à faire.

— *Se bon dye ki konnen!*

Cinq minutes plus tard, des restes de crème à raser sur le lobe de l'oreille, Pierre-Léon avait dévalé les quatre marches de l'entrée pour courir jusqu'à son taxi tout en attachant les derniers boutons de sa chemise dont les pans n'étaient pas encore dans son pantalon. Au passage, il avait ouvert la portière à Martin Gagnon qui s'était assis sur le siège, sans poser de question. L'automobile n'avait pas fait un tour de roue que Rosi-Anne surgissait pour lui barrer la route de son corps, les deux mains sur le capot. Sans ménagement, elle avait extirpé le passager du taxi pour le prendre dans ses bras, n'en finissant plus de lui souhaiter bonne chance. Pierre-Léon avait même dû klaxonner.

— Faut partir maintenant si on veut être de retour ce soir !

Sur le bord de la route, le premier panneau indiquant Sainte-Claire est apparu. Martin Gagnon s'est mordu la lèvre en revoyant ces bâtisses éparses, ces fermes et entrepôts plantés dans la monotonie de ce paysage tout blanc, presque transparent à force de n'offrir que la routine du vide. Le taxi s'est engagé dans la rue principale du petit hameau. Au loin, un clocher en tôle a surgi, étincelant sous le soleil. Au pied de l'église, devant le magasin général et la Caisse populaire, une douzaine d'enfants

luttaient pour la rondelle sur la glace de la patinoire municipale. Leurs souffles mêlés à la chaleur
de leurs corps dégageaient de la buée pour consti-
tuer un nuage planant au-dessus d'eux, au gré de
leurs envolées. Si la plupart portaient le maillot
bleu à la fleur de lys des Nordiques, quatre joueurs
suaient sous les couleurs du Canadien. Au dos
de leur chandail, en lettres capitales blanches,
« Gagnon » était brodé.

— Wow! T'es encore très populaire, ici!

— Rêve pas, Pierre-Léon. Ils portent le vieux
stock de leur grand frère acheté y a dix ans. Ici, les
parents n'ont pas les moyens d'en acheter un à
chaque année.

Le taxi a longé l'aréna, puis l'église, avant de
s'arrêter à un carrefour. En face, sur l'enseigne
suspendue à la gouttière d'une bâtisse peinte en
vert, on pouvait lire « Chez Romuald ». Sur la vitre
du seul bar de la ville, une annonce manuscrite
annonçait « lundi 5 à 7, bingo ». Martin Gagnon a
baissé les yeux de peur d'apercevoir son père derrière la vitrine, mais surtout de peur que son père
ne le voie. Quand Pierre-Léon a démarré, il n'a pu
résister et il les a relevés.

— Arrête-toi!

Le taxi a freiné. Martin Gagnon ne regardait
déjà plus celui qu'il n'avait pas vu depuis dix-huit

ans, mais l'homme assis à la même table, en face, rencontré il y a deux jours à peine. Celui-là même qui lui avait avoué ne jamais mettre les pieds au village l'hiver.

— Menteur!

Derrière la vitre, Henri Gagnon ne jouait pas au bingo, trop occupé à converser avec Gaëtan, le gardien de nuit du Forum. Le même Gaëtan qui lui avait donné rendez-vous à l'entraînement ce matin. Gaëtan qui n'en avait jamais manqué un depuis trente ans.

— En plus, il m'a dit qu'il le revoyait jamais!

Pierre-Léon ne disait mot, observant l'être devenu soudain si fragile tenter de comprendre ce qui se passait devant lui.

— Mais qu'est-ce qu'il fait là, lui?

Derrière la vitre, furieux, son père brandissait le *Journal de Montréal* pour en pointer la une. Gaëtan le lui a arraché et l'a jeté par terre. Puis il s'est lancé dans un long discours illustré de grands gestes. Il a mimé ce qui était un homme parlant dans un micro en se désignant. Ensuite, il a imité quelqu'un au volant et s'est mis à genoux, sa tête dépassant à peine de la table, pour effectuer des arrêts imaginaires.

— Je suis tout de même pas si petit que ça…

Cette fois, le passager n'a pas ri à la blague de Pierre-Léon. Gaëtan s'est relevé et il a placé sa main sur la hanche pour indiquer une hauteur. Celle d'un enfant. Henri Gagnon s'est gratté la tête, perplexe. Puis Gaëtan, a mimé un *slapshot* fulgurant et a feint de reprendre son micro pour le commenter.

— Wow !

Martin Gagnon a vu son père se prendre la tête à deux mains comme si le pire des cataclysmes venait de lui tomber dessus. Incrédule, assommé, le sexagénaire dévisageait Gaëtan qui tentait de le réconforter. Mais rien ne semblait pouvoir l'apaiser.

— Allez, roule !

La Chevrolet Caprice a démarré en trombe et a roulé un bon moment en ne suivant plus aucun itinéraire. Jusqu'à ce que Pierre-Léon, las d'aller n'importe où, s'arrête sur l'accotement et se tourne vers son passager qui fixait ses pieds.

— On va où, là, maintenant ?

Martin Gagnon a relevé la tête et il a regardé tout autour de lui. Tout était blanc, au loin, toujours les mêmes arbres.

— À droite ! Non, non, à gauche… Va tout droit, plutôt ! Je t'avais dit à droite ! Ben, là, si tu m'écoutes pas, on s'y rendra jamais !

Après avoir roulé douze mètres, dont aucun dans la même direction, Pierre-Léon a immobilisé son taxi au beau milieu du carrefour.

— Martin, je pense que nous sommes perdus.

— *Se bon dye ki konnen !*

— Non, non, non, Martin ! Dieu ne l'a pas voulu. Il n'a rien à voir là-dedans. Crois-moi, je le connais bien pour lui parler chaque jour, il ne veut jamais que tu te perdes, c'est tout le contraire même !

Martin Gagnon, son beigne emballé toujours dans sa main, a ouvert la fenêtre et l'a jeté loin, dans la neige.

— Je pense qu'on est allés un peu vite. On va rentrer à Montréal, pis on reviendra un autre jour, hein ?

Pierre-Léon a éteint le moteur de la voiture, toujours au beau milieu du carrefour. Il a pris son temps avant de parler, pour bien choisir ses mots. Il savait l'instant grave, de ceux qui décident à tout jamais de notre destinée.

— Tu le sais, Martin, si tu n'y vas pas maintenant, tu ne reviendras jamais. Tu ne me demandes pas de rentrer, tu me demandes de t'aider à fuir. Je peux le faire si tu le veux, mais as-tu envie de continuer à fuir ? Penses-y, Martin. Penses-y bien. J'ai tout mon temps…

❧

Une heure plus tard, dans cette nuit qui tombait, on ne distinguait plus les contours des arbres au loin.

La neige ne brillait plus, devenue grise et sombre. Les phares jaunes du taxi ont éclairé, au loin, le panneau indiquant la direction de Montréal, à droite.

— Prends à droite !

— T'es sûr, Martin ?

— Oui, je suis sûr !

— Moi, j'irais plutôt à gauche.

— Je te dis de prendre à droite !

— Je crois qu'on est déjà passés là y a pas trente minutes.

— Mais on avait tourné à gauche.

— T'as peut-être raison.

La Chevrolet s'est engagée à droite, sur un chemin étroit fraîchement dégagé. Les pneus arrière, peu habitués à rouler sur une surface si informe et glissante, patinaient parfois dans le vide. Concentré, la langue tirée, Pierre-Léon tentait de ne pas heurter la carrosserie de sa belle auto, lustrée la veille, sur les hauts bancs de neige qui encadraient le mince chemin.

— On y est, on est bien sur le 4ᵉ rang ! Tu vas tout au bout jusqu'au lac Martin et après, c'est à droite.

Alors que le taxi longeait une forêt qui bordait la route sinueuse, entre les arbres, un gyrophare est apparu, illuminant les troncs noirs de sa lumière orange. Martin Gagnon a hurlé.

— Non, mais c'est pas vrai! Pas maintenant!

Rapidement, les deux hommes n'ont plus vu que les feux arrière de la déneigeuse municipale qui roulait devant eux à un train de sénateur.

— Peuvent pas faire ça un autre jour?

Pierre-Léon, toujours aussi attentif à ne pas quitter le chemin, a jeté un rapide coup d'œil à Martin Gagnon qui, maintenant, trépignait sur son siège. Il a souri en voyant cet homme qui avait attendu dix-huit ans pour revenir, qui y avait ajouté trente minutes à réfléchir au milieu d'un carrefour, ne plus être capable de tenir les dernières secondes.

— On est arrivés!

La Chevrolet a ralenti, laissant la déneigeuse disparaître dans la forêt, puis elle s'est immobilisée devant une maison de bois peinte en bleu, dont l'entrée était éclairée par une simple ampoule. Martin Gagnon s'est tourné vers Pierre-Léon qui l'a encouragé d'un hochement de tête. Il a refermé la portière avant de s'engager dans la petite allée, si bien déneigée. Immédiatement, il s'est revu trente ans plus tôt, quand, enfant, le ventre noué, il courait de peur que des monstres ou des fantômes ne le kidnappent pour le tuer. Il s'est arrêté pour vérifier si le grand arbre était toujours là. Dans la pénombre, il l'a aperçu. En laissant ses yeux s'habituer à l'obscurité, il a remarqué, au pied du tronc, des pas dans la neige et des bâtons. Plus loin, il a reconnu son but de hockey dont la rouille et les traces de ses premiers tirs avaient disparu sous une nouvelle couche de rouge.

— Martin, t'as fait tout ce chemin pour voir le jardin?

Il s'est retourné vers l'entrée de la maison. À contrejour, sa mère lui est apparue. À la porte, elle a reculé pour le laisser entrer et a refermé. La mère et le fils se sont regardés, aucun des deux n'osant faire un pas vers l'autre.

— T'enlèves pas tes chaussures?

Martin Gagnon s'est immédiatement penché pour les ôter et les a soigneusement rangées sur le paillasson, l'une à côté de l'autre, comme on l'exigeait de lui, enfant. Quand il s'est relevé, sa mère a ouvert les bras et il s'y est jeté.

— Maman!

— T'en as mis du temps…

Elle a fixé avec infiniment d'amour son enfant qui se mordait les lèvres pour ne pas pleurer, puis elle s'est dirigée vers le salon. Martin Gagnon l'a suivie, se demandant s'il serait là, dans son fauteuil. Il était là. En voyant apparaître son fils, le vieil homme n'a pas souri, mais la moue était bienveillante. Il a dû s'aider de ses bras pour se lever, difficilement. Le fils a fait les derniers pas. Les deux hommes n'ont plus fait qu'un.

— Si tu veux, tu peux faire entrer Pierre-Léon.

— Tu le connais?

— Gaëtan m'a raconté votre visite au Forum.

— Plus tard…

Le père et le fils se sont détachés, mais leurs mains sont restées l'une dans l'autre. Martin Gagnon aurait voulu parler, se délivrer. Il en avait tellement à dire. Il aurait voulu remercier son père pour tout ce qu'il avait fait pour lui, s'excuser de ne pas en avoir fait son agent, tenter de se justifier de ses frasques à Montréal, lui crier qu'il ne lui en voulait de rien, trouver les mots pour se faire pardonner son silence, lui dire qu'il l'aimait, lui raconter cette nuit qui lui avait fait comprendre le sens de la vie, mais la pudeur a fait son œuvre et, comme toujours, c'est autre chose qui est sorti.

— C'est qui qui joue avec mon but de hockey, dehors?

À la mine soudainement grave du père, qui s'est immédiatement retourné vers son épouse, le fils a compris que sa question, si ridicule soit-elle, était loin d'être anodine. Il a regardé sa mère qui, après l'avoir dévisagé un instant, a pointé le téléviseur. Ses jambes ont commencé à trembler. Un premier cadre présentait la photo d'un enfant souriant, aussi brun que lui, les mêmes yeux bleus, la même bouille. Sur un autre, le même enfant était assis entre Pauline et Henri Gagnon. Les liens qui les unissaient, à l'évidence, était ceux du sang. Sur la dernière photo, l'enfant était dans les bras d'une femme assise sur le divan de ce salon. Martin Gagnon a marché jusqu'à la télévision et a pris le cadre pour mieux voir. Il l'a reconnue tout de suite. C'était bien elle, cette nuit-là. Michel Mercier n'avait pas menti et Gaëtan le savait. Cet enfant existait bel et bien, et il était le sien.

— Elle est venue nous voir, elle était perdue, sans le sou. Le club n'a rien voulu savoir. On l'a convaincue de le garder et qu'on l'aiderait, en t'attendant.

Non seulement Martin Gagnon se savait prêt, mais surtout il en avait envie. Il attendrait le temps qu'il faudrait avant de les rencontrer. Il ne voulait rien envisager, rien prévoir, rien exiger. Il laisserait la vie venir à lui. Cet avenir, il le bâtirait en donnant du temps au temps pour laisser aux sentiments, les vrais, l'espace de grandir. Maintenant, il savait et, surtout, il le voulait.

Que sa vie soit belle ainsi.

TABLE DES MATIÈRES